T0105761

قاموس

مصطلحات الإدارة - المحاسبة-

والمالية والمصرفيـــة

قاموس

مصطلحات الإدارة - المحاسبة - والمالية والمصرفية

الدكتور

زياد منير الطويل

الطبعة الأولى

المملكة الأردنية الهاشمية
رقم الإيداع لدى دائرة
المكتبة الوطنية
(2009/7/3288)

657.003
الطويل، زياد
قاموس مصطلحات المحاسبة والإدارة المالية والمصرفية/زياد منير الطويل.- عمان: دار زهران، 2009.
(   ) ص.
ر.أ : (2009/7/3288)
الواصفات: / المحاسبة//القواميس/

❖ أعدت دائرة المكتبة الوطنية بيانات الفهرسة والتصنيف الأولية
❖ يتحمل المؤلف كامل المسؤولية القانونية عن محتوى مصنفه ولا يعد هذا المصنف رأي دائرة المكتبة الوطنية أو أي جهة حكومية أخرى.

المتخصصون في الكتاب الجامعي الأكاديمي العربي والأجنبي

دار زهران للنشر والتوزيع

تلفاكس : 5331289 - 6 - 962+، ص.ب 1170 عمان 11941 الأردن
E-mail : Zahran.publishers@gmail.com
www.darzahran.net

A

Account:	حساب
Account Balance:	رصيد الحساب
Accountability :	المساءلة
Accountant:	المحاسب
Accountants:	المحاسبون
Accounting :	المحاسبة
Accounting Assumptions (Postulates):	الفروض أو الافتراضات المحاسبية
Accounting Changes:	التغيرات المحاسبية
Accounting Concepts:	المفاهيم المحاسبية - المبادئ المحاسبية
Accounting Constraints:	القيود المحاسبية - المحددات المحاسبية
Accounting Cycle :	الدورة المحاسبية

Accounting Elements :	العناصر المحاسبية
Accounting Equation :	المعادلة المحاسبية
Accounting Income :	الدخل (الربح) المحاسبى
Accounting Information :	المعلومات المحاسبية
Accounting Innovations :	المستجدات في المحاسبة
Accounting Objectives :	الأهداف المحاسبية
Accounting Period (Periodicity) :	الفترة المحاسبية - الفترة المالية
Accounting Policies :	السياسات المحاسبية
Accounting Principles :	المبادئ المحاسبية
Accounting Principles Board (Apb) :	مجلس مبادئ المحاسبة الأمريكي
Accounting Procedures :	الإجراءات المحاسبية
Accounting Reform :	الإصلاح المحاسبي
Accounting Research Bulletins :	نشرات البحوث المحاسبية

Accounting Standards :	المعايير المحاسبية
Accounting System :	النظام المحاسبي
Accounting Systems :	أنظمة المحاسبة
Accounts Payable:	حسابات الدائنين
Accounts Recievable :	حسابات العملاء - المدينون
Accrual Accounting :	أساس الاستحقاق فى المحاسبة
Accrual Basis Of Accounting :	أساس الإستحقاق المحاسبي
Accrued Expenditure :	إنفاق متحقق
Accrued Expenses :	مصروفات مستحقة الدفع
Accrued Revenues :	إيرادات مستحقة القبض
Accumulated Depreciation :	مجمع الاستهلاك
Acquisition Cost :	تكلفة الاقتناء
Active Server Page:	صفحة الخادم الفعالة وهو عبارة عن ملف تفاعلي يساهم في إضافة البيانات بشكل

آلي ويكتبها بطريقة مقروءة ، وعادة تستخدم هذه التقنيـة في إدارة بـرامج الطقـس والحـوار والأخبـار والتـي تحتـاج إلى تحـديث دائـم في الموقـع دون الحاجة إلى تنزيلها واستخدام المحرر في كتابتها

Actual Basis Of Accounting:	أساس الاستحقاق المحاسبي
Adjusted Trial Balance :	ميزان المراجعة المعدل
Adjusting Entry :	قيد تسوية
Adjustment :	تسوية
Administrative Decrees :	المراسيم الإدارية
Administrative Expenses :	المصروفات الإدارية
Adverse Opinion :	رأي عكسي
African Training And Research Centre in Administration for Development (CAFRAD) :	المركز الإفريقي للتدريب والبحث الإداري للإنماء
Aggregate Spending :	الإنفاق الكلي

Alance Sheet:	الميزانية العمومية - قائمة المركز المالي
Allowance :	مخصص
Allownce For Doubtful Account:	مخصص الديون المشكوك فيها
American Accounting Assosiation:	جمعية المحاسبة الأمريكية
American Institute Of Certified Public Accountants (Aicpa) :	المجمع الأمريكي للمحاسبين القانونيين
Amortization :	استنفاد
Amplifier:	مكبر أداة كالموجه أو القنطرة التي تكبر أو تزيد قوة الاشارات الكهربائية،حتى يمكنها الانتقال الى أجزاء إضافية من الكابل محتفظة بقوتها الأصلية
Analog Computer :	كمبيوتر نظري ينجز مهماته بقياس المتغيرات الفيزيائية المستمرة ويعالج الكمبيوتر هذه المتغيرات ليحصل على نتيجة
Analytic Work :	العمل التحليلي

Analytical Accounting :	المحاسبة التحليلية
Annual Financial Statements:	القوائم المالية السنوية
Annual Reports :	تقارير سنوية
Appropriation :	المخصصات
Arab Administrative Development Organization :	المنظمة العربية للتنمية الإدارية
Artificial Intelligence :	الذكاء الاصطناعي هو مجال الدراسة بعلم الكمبيوتر الذي يهتم بتطوير آلة تستطيع القيام بعمليات شبيهة بعمليات التفكير الإنساني كالاستنتاج والتعلم والتصحيح الذاتي
Ask Rate :	الطلب ، الرغبة بالبيع عند سعر معين.
Assets :	الأصول
Assets And Liabilities :	أصول والتزامات
Assurance Services :	خدمات التأكيد - خدمات يقدمها مهنيون مستقلون لتحسين المعلومات من أجل

متخذي القرارات	
كمبيوتر تزامني تقوم فيه إشارة ببيان لحظه اكتمال إحدى العمليات.	Asynchronous Computer :
خاصية أو صفة مميزة	Attribute :
تقرير المراجعة	Audit Report :
المراجعة - تدقيق الحسابات	Auditing :
مدقق الحسابات	Auditor :
الاستقلال الذاتي	Autonomy :
أوراق مالية متاحة للبيع	Available For Sale Securities :

B

Back Web:	برمجيات هي حزمة برمجيات مبتكرة ، تقدم وسيط جديدا للتفاعل بين المستخدمين ، وبين مزودي المعلومات في ويب ، كأن تتلقى مجانا ، تحديثات دورية على البرمجيات ، على شكل رزم معلوماتية **InfoPaks** تصل الى جهازك في الخلفية **in the background**بدون ان تطلبها
Bad Debts :	ديون معدومة
Balance Sheet :	أوراق ميزانية
Bar Chart:	نوع من الرسوم البيانية
Barcelona Declaration :	إعلان برشلونة
Bargain Purchase Option :	حق الشراء بسعر مُجز
Baseband LAN:	موجة أساسية طريقة لنقل الإشارات باستخدام السرعة الكاملة لوسيط النقل ، وهي الطريقة المستخدمة في معظم الشبكات المحلية.

Basic Accounting Assumptions :	الفروض المحاسبية الرئيسية
Basic Accounting Principles	المبادئ المحاسبية الرئيسية
Basis Of Consolidation :	أسس توحيد القوائم المالية
Baud :	بود يختلط هذا المصطلح دائما بوحدة البت في الثانية (بت/ثانية) . والباود هو عدد المرات التي يغير فيها المودم الإشارة التي يرسلها عبر خطوط الهاتف في الثانية
Bear:	الذي يعتقد بأن أسعار السوق سوف تنخفض
Bear Market:	سوق تتسم بانخفاض الأسعار
Bid Rate:	العرض، الرغبة بالشراء عند سعر معين
Bind:	ربط هو ربط وحدتي معلومات مع بعضهما ببعض
Bit :	البت رقم ثنائي يشير الى أصغر وحدة من معلومات الكمبيوتر يتم نقلها كنبضة واحدة مضيئة **on** أو كمطفأة **off** ويرمز لها بالواحد أو الصفر

Blogs:	المدونات الإلكترونية هي صفحة عنكبوتية تشتمل على تدوينات posts مختصرة ومرتبة زمنيًا.وهي أحد أساليب النشر والاتصال الحديثة على العنكبوتية
Bluetooth :	البلوتوث هو معيار تم تطويره من قبل مجموعة من شركات الالكترونيات للسماح لأي جهازين الكترونيين -حاسوبات وتلفونات خلوية ولوحات المفاتيح - بالقيام بعملية اتصال لوحدهما بدون أسلاك أو كابلات أو أي تدخل من قبل المستخدم
Board Of Directors :	مجلس الإدارة
Bonds :	السندات
Bonds Discount :	خصم إصدار السندات
Bonds Premium :	علاة إصدار السندات
Book Value :	القيمة الدفترية
Broker:	وسيط يتناول طلبات المستثمرين لشراء وبيع المستندات المالية مقابل عمولة

Budget :	موازنة تقديرية
Budgeted Accounts :	المقادير المحددة
Bull:	شخص يعتقد بأن أسعار السوق سوق تتسم بارتفاع أسعارهامتجهة صعوداً
Business Combination :	انضمام الشركات
Business Entity :	المنشأة الوحدة الاقتصادية
Business Transaction :	عملية تجارية
Buyer / Lessor :	المشتري/المؤجر
Byte :	البايت عدد معين من Bits تمثل حرف مفرد. وهو وحدة تخزين يتكون من 8 Bits في الـ BYTE الواحد، ولكن يمكن أن يكون هناك أكثر من 8 تعتمد على طريقة القياس

C

Cable:	كلمة عامة تقليدية متبادلة بين المتاجرين تدل على أسعار صرف الجنيه البريطاني/الدولار
Call Provision :	شرط الاستدعاء للأسهم الممتازة و السندات
Call Rate:	سعر الفائدة على عقود الشراء: أسعار يومية للفائدة بين البنوكَ
Candlestick Chart:	نوع من الرسوم البيانية و الذي يتكون من أربعة أسعار رئيسية: أعلى سعر، اقل سعر ، سعر الافتتاح ، و سعر الإغلاق. و تتكون أعمدة الشمع من سعر الافتتاح و سعر الإغلاق. لتوضيح أن سعر الافتتاح أعلى من سعر الإغلاق ، يترك العامود فارغاً ، ولكن إذا كان سعر الإغلاق أعلى من سعر الافتتاح يكون العامود ممتلئاً

Capital :	رأس المال
Capital Account :	حساب رأس المال
Capital Expenditure :	نفقة رأسمالية
Capital Gains :	مكاسب رأسمالية - أرباح رأسمالية
Capital Leases:	عقود الإيجار الرأسمالي
Capital Losses :	خسائر رأسمالية
Capitalization :	رسملة
Capitalization Of Leases :	رسملة عقود الإيجار
Carrying Value :	القيمة الدفترية
Cash :	النقد - النقدية
Cash Alents :	ما يعادل النقدية
Cash Accounting :	المحاسبة النقدية
Cash Balance :	الرصيد النقدي
Cash Basis Of Accounting :	الأساس النقدي المحاسبي

Cash Budget :	الموازنة النقدية - الميزانية التقديرية للنقدية
Cash Disbursements :	الدفعات النقدية
Cash Flow :	تدفق نقدى
Cash Flow From Operations:	التدفقات النقدية من العمليات التشغيلية
Cash Flows :	التدفقات النقدية
Cash Flows Statement :	قائمة التدفقات النقدية
Cash Inflows :	التدفقات النقدية الداخلة - مصادر النقدية
Cash Inputs :	المدخلات النقدية
Cash Outflows - Use Of Cash :	التدفقات النقدية الخارجة - استخدامات النقدية
Cash Receipts :	المقبوضات النقدية
Central Control :	الضبط المركزي
Certified Public Accountant:	المحاسب القانوني المرخص حسب مهنة المحاسبة في الولايات المتحدة
Cfd Contract For	عقد مقابل الفروقات: اتفاقية بين طرفين

Difference:	لتبادل الفروقات، عند إبرام عقد، بين السعر الافتتاحي والسعر النهائي للعقد، مضروباً بعدد (الوحدات) المحدد بالعقد
Changing Needs :	الحاجات المتغيرة
Chartered Accountant :	محاسب قانوني
Chat Room:	غرف المحادثات غرفة افتراضية على الانترنت يستطيع الفرد أن يحادث أفرادا آخرين على الانترنت أينما كانوا. قد تكون كتابية أو صوتية أو مع فيديو
Chief Executives :	الرؤساء التنفيذيين
Citizen- Centered Service :	الخدمة المتمحورة حول المواطن
Citizen Interactions :	التفاعل مع المواطنين
Classification :	التبويب - التصنيف
Closing Exchange Rate :	سعر صرف الإقفال
Closing Price:	آخر سعر وصل إليه العقد عند نهاية جلسة المتاجرة به

Code:	شفرة التشفير هو استبدال إحدى أحرف أو كلمات جملة ما بحرف أو بكلمة أخرى بهدف إخفاء المعنى الحقيقي للجملة
Collected Payments :	الدفعات المتسلمة
Combined Financial Statements :	القوائم المالية المجمعة
Commercial Accounting :	المحاسبة التجارية
Commission:	رسوم العمليات التي يتقاضاها الوسيط المالي
Commodity:	أي سلعة يتم تصميمها و الموافقة عليها من قبل هيئة المتاجرة بسوق التداول و ذلك بحسب تعليمات سوق التداول
Common Stock :	الأسهم العادية
Common Stock Holders :	حملة الأسهم العادية
Compact Disk – Interactive:	الأقراص المدمجة التفاعلية تساند هذه الأقراص العرض التفاعلي والمتزامن للبيانات و النصوص والفيديو و الصوتيات

Company :	شركة
Comparability :	قابلية المقارنة
Comparable Data :	بيانات قابلة للمقارنة
Comparative Balance Sheet:	ميزانية المقارنة
Comparative Financial Statements :	القوائم المالية المقارنة
Comparative Income Statement :	قائمة دخل مقارنة
Competition :	المنافسة
Competitiveness :	التنافسية
Completed Contract Method:	طريقة العقود التامة
Compliance Audit :	مراجعة أو تدقيق السجلات المالية لمنظمة من حيث مطابقتها لقوانين معينة
Components Of Share Holders' Equity	مكونات حقوق الملكية (المساهمين)
Computerized Information Systems :	أنظمة المعلومات المحوسبة

Conceptual Formulation :	الصياغة النظرية
Conceptual Framework :	اطار فكرى
Concessions :	الامتيازات
Confirmation:	وثيقة متبادلة بين الأطراف المختلفة بعملية معينة موضح بها شروط إجراء تلك العملية
Connection:	الاتصال هناك أنواع مختلفة أو مستويات من الاتصال بالإنترنت ، بدأ من الاتصال الشبكي المباشر ، إلى الوصول إلى الهاتفي بحسابات SLIP أو PPP ، الى الوصول الهاتفي بحساب SHELL ، وانتهاء بالبريد الإلكتروني
Consensus :	الإجماع
Conservation :	التحفظ
Conservatism :	سياسة الحيطة و الحذر - التحفظ
Conservatism (Prudence) :	التحفظ (الحيطة والحذر)
Consilidation :	إندماج

Consistency :	الثبات
Consistency Principle :	مبدأ الاتساق - الثبات
Consolidated Accounting Entities :	الوحدات المحاسبية المندمجة
Consolidated Financial Statements :	القوائم المالية الموحدة
Consolidation Procedures :	إجراءات توحيد القوائم المالية
Consonlidated Balance Sheet :	قائمة المركز المالي الموحدة
Constant-Dollar Financial Statements :	القوائم المالية على أساس وحدة نقد متجانسة
Construction Revenues :	ايرادات عقود التشييد
Contingent Gains And Losses :	المكاسب والخسائر المحتملة
Contingent Liability (Contingency) :	التزام محتمل
Contra Account :	حساب مقابل - حساب عكسي
Contract:	وحدة قياسية للمتاجرة

Contract Management :	إدارة العقود
Contract Month:	يوضح الشهر و السنة التي ينتهي بها صلاحية عقد آجل. و تسمى أيضا **(Delivery Month)**
Contracts :	العقود
Contributed Capital :	رأس المال المساهم به
Control :	السيطرة
Control Purposes :	أغراض الضبط
Controlling Enterprise :	المنشأة المسيطرة
Controlling Interest :	حصة السيطرة
Conversion :	قابلية التحويل من أسهم ممتازة أو سندات إلى أسهم عادية
Convertable Bonds :	سندات قابلة للتحول إلى أسهم عادية
Convertible Currency:	عملة قابلة للتحويل: العملة التي يمكن تحويلها، بدون أي عائق ، إلى عملة أخرى ، أو مقابل الذهب ، بدون تفويض خاص من السلطة المختصة

Convertible Stock Preferred:	أسهم ممتازة قابلة للتحول إلى أسهم ادية
Cookies :	كعكات الانترنت هي عبارة عن ملف نصي- صغير يحمل بعض الدلائل التي تفيد بالتعرف الآلي على جهاز كمبيوتر معين، وهي عادة ما تستخدم في الاحتفاظ ببيانات التسجيل في المواقع التي تتطلب تسجيل الدخول باسم مستخدم وكلمة مرور حتى لا يقوم بكتابتها كل مرة يفتح فيها الصفحة
Cooperation :	التعاون
Coordination :	التنسيق
Copyright :	حق التأليف
Corporate Earnings :	أرباح الشركات المساهمة
Corporation :	شركة مساهمة
Corrections:	اتجاه معاكس لتحركات السعر و التي عادة ما تنتج عن جنى الأرباح. وهيتحركات تقنية لابد من حدوثها و يمكن قياس مقدارها قبل حدوثها عن طريق مقياس **(Fibonacci correction ratios)**

Corruption :	الفساد
Cost :	تكلفة
Cost - To - Cost Basis :	طريقة التكلفة ـ إلى ـ التكلفة
Cost / Benefit Relationship :	قيد التكلفة / المنفعة - أي يجب أن تكون التكلفة أقل من المنفعة
Cost Estimates :	تقديرات التكاليف
Cost Of Goods Sold :	تكلفة البضاعة المباعة
Cost Principle :	مبدأ التكلفة
Cost Recovery :	استرداد الكلفة
Cost Recovery Method :	طريقة استرداد التكلفة
Counter - Party:	الطرف الآخر: الطرف أو البنك الذي يتم التعاقد معه
Country Goals :	أهداف قطرية
Crack:	برامج تقوم بفك شفرة البرامج المشتركة وتجعلها مجانية

Credit :	الدين
Credit Checking:	فحص الملاءة المالية: تعتبر الملاءة المالية عنصراً حاسماً عند المتاجرة، ونظراً لانتقال الأموال من طرف لآخر فإنه من المهم التأكد من إن للطرف الآخر المقدرة لإتمام الصفقة ، ويتم فحص الملاءة المالية عندما يتم الاتفاق على السعر ، فإذا لم تكن الملاءة جيدة فلن تتم الصفقة
Creditors:	الدائنون
Cross Boundary Communication :	الاتصال عبر الحدود الفاصلة
Cross- Ministry Co- Operation :	التعاون عبر الحدود الفاصلة بين الوزارات
Cross Rate :	سعر الصرف المعاكس/المضاد: هو سعر التبادل بين عملتين ويتم تكوينه عادة من أسعار التبادل الفردية لكلا العملتين مقارنة بسعر الدولار الأمريكي
Currency:	أي نوع من الأموال تصدر عن طريق الحكومة أو البنك المركزي وتستخدم كقوة نقدية للمبادلات التجارية

Current Assets :	أصول متداولة
Current Cost :	التكلفة الجارية - التكلفة الاستبدالية
Current Cost Accounting :	المحاسبة على أساس التكلفة الجارية
Current Cost Approach :	مدخل التكلفة الجارية
Current Exchange Rate :	سعر الصرف الجاري
Current Expenditure :	الإنفاق الراهن
Current Liabilities :	الالتزامات المتداولة
Current- Non Current Method :	طريقة البنود المتداولة وغير المتداولة
Current Purchasing Power :	قوة شرائية جارية
Current Rate Method :	طريقة سعر الصرف الجاري
Current Receipts :	المقبوضات الراهنة
Cyberspace:	الفضاء التخيلي مصطلح نحته المؤلف وليام جبسون **William Gibson** ليشير به الى الحقيقة التخيلية لشبكات الكمبيوتر . ويشيع استخدام هذا المصطلح كمرادف لكلمة "الإنترنت

تغييرات دورية حيث تعود نقطة معينة إلى منطقة بدايتها. ويعتقد بأن تحركات معينة للأسعار تعود و تظهر مرة أخرى و ذلك بحسب مؤشـــر **(Fibonacci Sequential numbers)**) ، مما يمكّن التنبؤ بحدوثها. و عادة ما تستخدم في تقدير توقيتات التحركات المتوقعة للسوق أو التغييرات المعاكسة	Cycles:

D

Data :	البيانات
Data Bank:	بنك البيانات هو مجموعة كبيرة جدا من البيانات المجمعة في مكان معين والمتعلقة بموضوع معين.
Data Collection :	تجميع البيانات
Data Communication:	اتصالات البيانات هي عملية نقل البيانات أو المعلومات ما بين جهازين: جهاز مرسل وآخر مستقبل. فالجهاز المرسل هو الجهاز الذي يرسل البيانات والجهاز المستقبل هو الذي يستقبلها
Data Compatibility:	توافقية البيانات هي مقدرة حاسوب على قراءة البيانات الخاصة بحاسوب آخر. بعبارة أخرى مقدرة الحاسوب على قراءة ملفات البيانات أو أقراص منتجة من حاسوب آخر حتى ولو لم يستطع تنفيذ نفس البرنامج

Data Conferencing:
مؤتمرات البيانات وهي عبارة عن عملية اتصالات بيانات متزامنة بين مناطق متباعدة جغرافيا بحيث يمكن عن طريقها الوصول إلى معلومات أو ملفات معينة موجودة لدى أحد أطراف الاتصال من قبل جميع الأطراف الأخرى

Data Control:
التحكم بالبيانات وهي عبارة عن جزء من عملية إدارة البيانات مهمته متابعة من يستخدم البيانات وكيفية استخدامها. وكذلك كيفية الولوج إليها وتغييرها وتطويرها ويعطي أيضا تقريرا عن ذلك

Data Library:
مكتبة البيانات هي مجموعة مرتبة ومنظمة من ملفات البيانات **data files** المحفوظة على قرص أو ضمن وسط تخزين آخر

Data Rate:
معدل البيانات السرعة التي يستطيع من خلالها خط اتصال نقل المعلومات. يقاس معدل البيانات عادة بالبت في الثانية

Data Reliability:	موثوقية البيانات هو مقياس لعدد الأخطاء وذلك لحساب عدد كلمات البيانات التي تحتوي على أخطاء نسبة إلى العدد الكلي للكلمات (البيانات)
Data Retrieval:	استرجاع البيانات هي عملية بحث وقراءة البيانات المخزنة في ملف قاعدة البيانات وذلك وفق معايير محددة أثناء طلب الاستفسار من مستخدم قاعدة البيانات
Data Security:	أمن البيانات حماية البيانات والمحافظة عليها من الإتلاف أو من وصول مستخدمين غير مسموح لهم إلى هذه البيانات وتعديلها والإطلاع عليها. مثلا يمكن حماية البيانات داخل قاعدة البيانات عن طريق وضع كلمة مرور **password** عليها بحيث لا يتمكن من استخدامها إلا من يعرف كلمة المرور هذه
Data Sink:	مصب البيانات أي هو وسط تخزين كالقرص المغناطيسي أو الذاكرة يمكنه استقبال الإشارات من جهاز إرسال البيانات وحفظ هذه البيانات إلى حين طلبها

Data Source:	مصدر البيانات هو جزء يقوم بتوليد أو إنشاء وجمع البيانات ضمن الحاسوب سواء كانت تماثلية أو رقمية
Data Transmission:	نقل البيانات هي عملية النقل الإلكتروني للمعلومات من جهاز إرسال إلى جهاز استقبال. مثال على ذلك نقل ملف عبر برنامج اتصال مثل الماسنجر من جهاز الشخص المرسل إلى جهاز الشخص المستقبل
Data:	بيانات معلومات من أي نوع في الغالب تشير الى معلومات يتم تخزينها أو نقلها أو معالجتها بواسطة الكمبيوتر
Database:	قاعدة بيانات بيانات محفوظة على الكمبيوتر ويمكن الوصول إليها عن طريق عمليات البحث والاستعلام
Date Of Declaration :	تاريخ الإعلان عن توزيع أرباح الأسهم
Date Of Payment :	تاريخ دفع أرباح الأسهم
Date Of Record :	التاريخ الذي يكون فيه المساهم مسجلاً لدى الشركة

Day Trading:	مصطلح يدل على فتح وإغلاق مركز معيّن مراكز معيّنة) خلال يوم متاجرة واحد
Dealer:	شخص يكون طرفاً أساسيا أو طرفا مقابلاً لعملية تجارية. و يمثل الطرف الأساسي جزءاً من العملية حيث يسعى لجني الربح من الفارق بين سعر العرض و الطلب عن طريق إغلاق المركز بعملية لاحقة مع طرف آخر. و لكن بالعكس بالنسبة للوسيط المالي الذي يمثل شخص أو شركة تقوم بجمع البائع و المشتري مع بعضهم البعض وذلك مقابل رسوم أو عمولات
Dealers:	وكلاء
Debenture Bonds :	سندات بدون ضمان عيني
Debit (Dr.) :	الجانب المدين
Debt Securities :	أوراق مالية تمثل ديون على الغير
Debtors :	المدينون
Decision Support Systems :	أنظمة دعم اتخاذ القرار
Deferred Expenditure :	نفقات مؤجلة

Deffered Gross Profit :	إجمالي الربح المؤجل - إجمالي الربح غير المحقق
Deficit :	عجز - بالسالب
Delegation :	التفويض
Delphi:	لغة البرمجة دلفي لغة برمجة قوية أصدرتها شركة بورلاند borland في عام1993 وتعمل هذه اللغة تحت نظام ويندوز وتتمتع بعدد من المزايا التي جعلت منها إحدى اللغات البرمجية الرائدة
Democratic Governance :	الحاكمية الديموقراطية
Department Of Economic And Social :	إدارة الشؤون الاقتصادية والاجتماعية
Departmental Contribution Margin :	المساهمة الحدية للقسم
Depletion :	النفاذ - للأصول الاستخراجية أو المصادر الطبيعية
Depreciable Cost :	التكلفة القابلة للاستهلاك
Depreciation :	الإستهلاك
Depreciation Expense :	مصروف الاسهتلاك
Depreciation Methods :	طرق الاستهلاك
Derivatives:	"معاملات متاجرة مشتقة" هي متاجرة

مشتقة من بعض السلع القائمة الأخرى مثل الأسهم والسندات والعملات والسلع الأخرى ويمكن أجراء المعاملات المشتقة إما عبر أسواق المتاجرة أو خارجها (OTC) علماً بأن المعاملات المشتقة عرضة لمخاطر ائتمانية أوسع نطاقاً نظراً للتعامل بها مباشرة مع الطرف الآخر بدلاً من السوق المالي، وتشتمل أمثلة المعاملات المشتقة على الخيارات (Option)ومقايضة أسعار الفائدة وغيرها

Design : تصميم

Development : التطوير

Device Manager: مدير الأجهزة هو برنامج خدمي يسمح بمشاهدة وتعديل إعدادات العتاد كالمقاطعات والعناوين الأساسية ومتغيرات الاتصالات التسلسلية

Device Name: نظام الحاسوب اسم الجهاز هو الاسم المختصر- الذي يستعمله نظام الحاسوب لتعريف الأجهزة في نظام التشغيل

Dial-Up: الطلب الهاتفي وهي عملية بدء بطلب رقم

	للاتصال وذلك باستخدام الشبكة الهاتفية العامة عوضا عن استخدام دائرات وكابلات تابعة لشبكة خاصة
Dial-Up Access:	الدخول بالطلب الهاتفي وهي عملية دخول واتصال بشبكة اتصال البيانات من خلال الشبكة الهاتفية العامة
Digital:	الرقمية هي عبارة عن تقنية الكترونية من أجل توليد وحفظ ومعالجة البيانات بصورة ثنائية: موجب وغير موجب. الصورة الموجبة يمثلها الرقم 1 والصورة غير الموجبة يمثلها الرقم صفر. لذلك فإن البيانات المحفوظة أو المرسلة باستخدام التقنية الرقمية فهي عبارة عن سلسلة من الأصفار والآحاد، كل حالة فردية من هذه الرقمية تسمى "بت"
Digital Audio Tape (Dat) :	شريط صوتي رقمي وهو عبارة عن شريط مغناطيسي تخزن عليه المعلومات الصوتية بشكل رقمي
Digital Camera:	آلة التصوير الرقمية هي آلة التصوير التي تسجل وتخزن الصور الفوتوغرافية في

شكل رقمي. هذا الشكل يمكن أن يعطى للحاسوب في شكل تأثيرات تسجل وتخزن في آلة التصوير لكي يتم تحميلها لاحقا على جهاز الحاسوب

Digital Computer:

حاسب رقمي و هو الحاسب الذي يعمل اعتمادا على حالتين أو أكثر من الحالات المختلفة أما الحاسب الرقمي الثنائي فهو الذي يعتمد على حالتين فقط

Digital Line:

خط رقمي هو خط يحمل المعلومات في شكل رقمي أو ثنائي،حيث يستخدم لتقليل عوامل التشويش و الضوضاء وذلك لإعادة إنتاج الإشارة زمنيا خلال الإرسال

Digital Monitor:

شاشة الحاسب الرقمية و التي تقبل في دخلها الإشارة الرقمية الصادرة عن بطاقة مكيف الفيديو في الحاسب ثم تحولها إلى إشارة تماثلية لإظهار الصور على الشاشة. تتميز الشاشات الرقمية بصورة واضحة ومحددة المعالم غير أن عيبها الأساسي بالمقارنة مع الشاشات التماثلية هو أنها لا تستطيع إظهار مجال واسع من الألوان إذ

تقف عند تدرجات لونية محددة مهما كثرت هـذه التدرجات

Digital Photo Album:

ألبوم الصـور الرقميـة وهـو برنـامج تطبيقـي عـلى الإنترنت يسمح للمستخدم باستيراد ملفـات الصـور من كاميرا رقمية أو بطاقة ذاكرة أو ماسحة ضـوئية أو من القرص الصلب إلى قاعدة بيانات مركزية

Digital Photography:

تصوير رقمي يحدث باستخدام آلـة تصـوير رقميـة وهو يختلف عن التصوير الضوئي العادي في أن آلـة التصوير الضوئية لا تستعمل فيلما من الفضـة ذات الأساس الهاليدي (مادة نظيرة للهـالوجين) لالتقـاط الصورة بل تلتقط الصـورة وتخزنهـا كصـورة رقميـة إلكترونيا

Digital Recording:

تخزين للمعلومات بصيغة ثنائية رقمية يقوم التسجيل الرقمي بتحويل المعلومات كالنصوص والرسوم أو الأصوات أو الصور إلى سلاسل من الأصفار والآحاد التي يمكن تمثيلها فيزيائيا على وسط تخزين. ومن الأوساط التخزينية المستعملة في

الحواسب الآلية هي الأقراص المضغوطة والأشرطة والأقراص الليزرية

Digital Signature:

توقيع رقمي بيانات تضاف على الرسائل الإلكترونية، لإثبات هوية مرسلها، وسلامة محتوياتها خلال التبادل. يستخدم المرسل دالة خاصة (**hash function**) لتوليد رقم معين، يسمى التوقيع، بالاعتماد على محتويات الرسالة، ثم يشفّر التوقيع الناتج ويضيفه إلى الرسالة، باستخدام مفتاح تشفير خصوصي

Digital Subscriber Line (Dsl) :

خط المشترك الرقمي

Digital Television (Dtv) :

التلفزيون الرقمي يمثل نظاما تحول فيه الاشارات التلفزيونية لشكل رقمي مضغوط ومتصل بالمشاهدين من خلال أجهزة الضغط وإعادة تحويل الإشارة الرقمية

Digital Vidio Disk (Dvd):

قرص الفيديو الرقمي تمثل الجيل التالي لشكل الأقراص الضوئية.وقد صممت هذه

	الأقراص لكي تحتفظ بفيلم سينمائي كامل في الشكل الرقمي. وتقدم سعه اكبر جدا وأداء أحسن من الأقراص المدمجة الحالية CD
Digital Volt Meter (Dvm):	مقياس التيار الرقمي هو أداء قياس أساسية لكل الأغراض الالكترونية، ويمكنه إظهار كمية البيانات التي تمر خلال المقاومة
Digital Watermark:	العلامة المائية الرقمية هو رمز تعريف غير مرئي يتضمن دائما في البيانات كأداة لمنع القرصنة أو التزييف
Digital-To-Analog Converter (Dac) :	محول من رقمي إلى تماثلي جهاز يقوم بتحويل البيانات الرقمية إلى إشارة تماثلية و يقوم المحول الرقمي التماثلي بأخذ أرقام متتابعة لقيم منفصلة كقيم دخل ويعطي إشارة تماثلية
Direct Cost :	تكلفة مباشرة
Direct Costing System :	نظام التكاليف المباشرة
Direct Financing Leases (Us) :	عقود الإيجار التمويلي

Direct Method :	الطريقة المباشرة لاحتساب صافي النقدية المتأتية
Direct Ownership :	ملكية مباشرة
Direct Quotation :	تحديد سعر الصرف بالأسلوب المباشر
Disbursements And Receipts :	الدفعات والمقبوضات
Disclaimer Of Opinion :	عدم إعطاء رأي
Disclosure :	الإفصاح
Discontinued Operations :	انشطة مستبعدة
Discount :	خصم
Discount Premium :	مقدار الفرق بين سعر الصرف الآجل وسعر الصرف الفوري
Discount Rate :	معدل الخصم - معدل الحسم
Disk:	قرص وسيط يستخدم لحفظ بيانات الكمبيوتر. يمكن أن يكون القرص مثبت

داخل الكمبيوتر (مثل القرص الصلب) أو يكون قابلا للإزالة (مثل القرص المرن)

Divergance: عندما يفشل نوعين من المؤشرات في تحديد اتجاه معين للسعر ، يكون ذلك مؤشراً لتحرك تصحيحي كبير للسوق أو لتحرك بالاتجاه المعاكس. و بالغالب ما تصدق جميع التوقعات لجميع تشكيلات (double-tops/bottoms) و (triple-tops/bottoms)

Divestiture : التجريد

Dividend : توزيعات أرباح

Documentation : التوثيق

Domain Name System (Dns): نظام النطاق وهو نظام إنشاء أسماء النطاقات مثل (com, net, org, edu, gov) لتكوين عناوين ثابتة للمواقع ، وما يتبعه من تسجيل عناوين بريدية خاصة بكل اسم

Domain: حقل هو ذلك الجزء من الـ DNS الذي يحدد مكان شبكة كمبيوترك وموقعها في

العالم

التنقيب	Drilling :
القرص الرقمي هو وسط للتخزين ذو الكثافة العالية و مشابه للقرص المدمج، وهو قادر على تخزين كميات اكبر من المعلومات ، وذلك بسبب تحسينات في كثافة التسجيل و استخدام الطبقات المتعددة لكل جانب	Dvd:

E

E- Publishing:	النشر الالكتروني هو أي مادة غير مطبوعة تقليـديا وتنشر في شكل رقمي وتحمل على أوعية الكترونية
E- Relationships :	العلاقات الإلكترونية
E- Signicher:	التوقيع الالكتروني عبارة عن جزء صغير مشفر من بيانات يضاف الى رسالة إلكترونية كالبريد الإلكتروني أو العقد الإلكتروني
Earned Revenues :	العوائد المكتسبة
Earned Surplus :	الفائض المحتجز
Earning Of Revenue :	اكتساب الإيراد
Earnings :	أرباح
Earnings Per Share (Eps) :	ربحية السهم (العائد على السهم)
E-Book:	كتاب الكتروني عبارة عن نسخة إلكترونيّـة للكتـاب الورقي التقليديّ ، يقرأ بواسطة الكمبيوتر أو جهـاز القارئ الإلكتروني

التجارة الإلكترونية هـي نظـام يُتيح عـبر الإنترنـت حركـات بيـع وشراء السِـلع والخـدمات ،وتتـيح الحركات الإلكترونية مثـل عمليـات تعزيـز الطلـب عـلى السِـلع والخـدمات ويمكـن تشـبيه التجـارة الإلكترونية بسوق إلكتروني يتواصـل فيـه البائعون (مـوردون، أو شركـات، أو محـلات) والوسـطاء (السـماسرة) والمشـترون، وتُقـدَّم فيـه المنتجـات والخدمات في صيغة افتراضية أو رقمية، كـما يُـدفَع ثمنها بالنقود الإلكترونية	E-Commerce:
المنافع الاقتصادية	Economic Benefits :
التنمية الاقتصادية	Economic Development :
المنشأت (الوحدات) الاقتصادية	Economic Entities :
فرض الوحدة الاقتصادية المستقلة	Economic Entity Assumption :
العمر الإقتصادي	Economic Life :
السياسة الاقتصادية	Economic Policy :
طريقة سعر الفائدة السائد	Effective Interest Method :

معدل الفائدة الفعلي	Effective Interest Rate :
الكفاءة	Efficiency :
الحكومة الإلكترونية شبكة متطورة من النظم الكمبيوترية التي تمكّن الجمهور من الوصول إلى عدد كبير من الخدمات والمعاملات الحكومية المؤتمتة، عبر الإنترنت أو عبر وسائل إلكترونية أخرى	E-Government:
الأكشاك الإلكترونية	Electronic Kiosks :
التوقيع الإلكتروني	Electronic Signature :
أدوات توقيع إلكتروني	Electronic Signature Tools :
الأدوات الإلكترونية	Electronic Tools :
الأسواق الإلكترونية هو عبارة عن محل من التعاملات والمعاملات والعلاقات من أجل تبادل المنتجات والخدمات والمعلومات والأموال. و مركز التجارة ليس بناية أو ما شابه بل هو محل شبكي يحوي تعاملات تجارية. حيث أن الباعة والمشترين نادرا ما يعرفون بعضهم البعض	E-Market:

E-Money:	النقود الإلكترونية هي مجموعة من البروتوكولات والتواقيع الرقمية التي تُتيح للرسالة الإلكترونية أن تحل فعليا محل تبادُل العُملات التقليدية. فإن النقود الإلكترونية أو الرقمية هي المكافئ الإلكتروني للنقود التقليدية التي اعتدنا تداولها
Empowerment :	التمكين
Enabling Role :	الدور التمكيني
Entity Concept :	مفهوم الوحدة المحاسبية
Entry Value Method :	طريقة القيمة الإحلالية للأصل
E-Payment System:	نظام الدفع الالكتروني هو التبادل النقدي الالكتروني عبر الشبكات الرقمية
Equipment :	معدات
Equity (Owners' Equity) :	حقوق الملكية
Equity Method :	طريقة حق الملكية - نسبة الملكية
Equity Securities :	أوراق مالية تمثل حقوق ملكية

Estimated Liability :	الالتزام المقدر
Estimated Price :	سعر افتراضي - سعر تقديري
Euro:	العملة المستخدمة داخل الاتحاد الأوربي **EMUEuropeanMonetaryUnion**وذلك كبديل لما كان لدى **(ECU- European Currency Unit)**
Euro- Mediterranean Partnership :	الشراكة الأورو - متوسطية
Eurodollars:	أرصدة دولارية في مصارف أوروبية: دولارات أمريكية مودعة لدى بنك/ بنوك خارج الولايات المتحدة حتى و إن كان هذه البنوك تابعاً لبنك أمريكي، وبناء عليه يعتبر هذا الإيداع خارج نطاق الولاية القضائية للولايات المتحدة
European Central Bank (Ecb):	البنك المركزي للاتحاد الأوروبي الجديد
European Union :	الاتحاد الأوروبي
Evaluation :	التقييم

Evidence :	دليل
Exchange Conversion Losses :	خسائر تحويل عملات أجنبية
Exchange Rates :	أسعار الصرف
Exchange Transaction :	عملية تبادلية
Executive Branch :	الفرع التنفيذي
Executory Cost :	تكلفة تنفيذ العقد
Exit Value Method :	طريقة القيمة البيعية للأصل
Expected Loss On Contract:	الخسارة المتوقعة عن العقد
Expenditure :	نفقة
Expenditure :	الإنفاق
Expense :	مصروف
Expiration Date:	اليوم الأخير للمتاجرة بالعقود الآجلة.
Exploration :	الاستكشاف
Exposed Net Asset Position:	الفرق بين قيمة الآجل وقيمة الالتزام الذي نشأ بسببه

Extensible Markup Language (Xml):	وهـي لغـة تسـتخدم في وصـف وتخـزين وتنظـيم البيانـات بخـلاف لغـة ترميـز النصـوص التشـعبية HTMLالتي تستخدم لكيفية عرض البيانات عـلى المتصفح
Extraction :	الاستخراج
Extractive Industries :	الصناعات الاستخراجية
Extraordinary Items :	بنود غير عادية - بنود استثنائية

F

Fair Value :	القيمة العادلة
Federal Reserve (Fed) :	البنك المركزي للولايات المتحدة الأمريكية.
Feedback Value :	قيمة التغذية العكسية
File:	مجموعة بيانات هي مجموعة من البيانات أو المعلومات التي لديها اسم.
Fill Or Kill:	نفذ أو الغي: أمر يضعه العميل يحدد فيه السعر للتنفيذ أو الإلغاء
Finacial Accounting Standards Board (Fasb) :	مجلس معايير المحاسبة المالية - في أمريكا
Finacial Forecast :	التنبؤ المالي
Finance Charge :	تكلفة تمويل
Finance Lease (Uk) :	الإيجار التمويلي
Financial Accounting :	المحاسبة المالية

Financial Assets :	أصول مالية
Financial Deficit :	العجز المالي
Financial Liabilities :	خصوم مالية
Financial Performance :	الأداء المالي
Financial Reporting :	نشر التقارير المالية - الإعلام المالي
Financial Restrictions :	الضوابط المالية
Financial Statements:	القوائم المالية
Financing Activities :	الأنشطة التمويلية
Fire Wall:	الجدار الناري نظام أو مجموعة نظم تطبق سياسة السيطرة على الدخول بين شبكتين
First-In-First-Out (Fifo) :	طريقة الوارد أولا صادر أولا
Fiscal Compliance :	الامتثال الضريبي
Fiscal Control :	الضبط المالي
Fiscal Management :	الإدارة المالية
Fiscal Year :	السنة المالية

Fixed Asset :	الأصل الثابت
Fixed Asset Depreciable Cost :	تكلفة الاصل الثابت القابلة للاستهلاك
Fixed Price Contracts :	العقود ذات السعر المحدد سلفاً
Flat/Square:	مستوي / متعادل: أن يكون الوضع مستوي أو متعادل يعني أن لا يكون هناك عقود بالاتجاه الطولي (Long) أو عقود بالاتجاه القصير (Short) ، أو أن لا يكون هناك أية مراكز مفتوحة، أو أن تكون جميع المراكز لاغيه لبعضها البعض
Flexible Responses :	استجابات مرنة
Floating Interest Rate:	سعر فائدة متقلب: أي سعر فائدة متقلب وفق تحركات الفائدة بالسوق
Floppy Disk:	قرص مرن وسيط تخزين قابل للإزالة
Focus On Results :	التركيز على النتائج
Folder:	المجلد هو كائن يحتوي على مستندات متعددة، وتُستخدم لتنظيم المعلومات

Foreign Currencies :	عملات أجنبية
Foreign Currency Statements :	عملية مالية تم تحديد قيمتها بالعملة الأجنبية
Foreign Exchange Market (Fx/Forex):	سوق تجارة العملات الاجنبية: شراء وبيع العملات الأجنبية حيث تعرض غالبية أسعار التبادل مقابل الدولار الأمريكي، وإذا تم التعامل بعملات أخرى (مثل الجنيه البريطاني / الفرنك السويسري) فإنها تعرف عندئذ بأنها أسعار صرف مشتقة (Cross Rate).
Foreign Exchange Rate :	سعر الصرف للعملات الأجنبية
Foreign Transaction :	صفقة تحديد قيمتها بالعملة الأجنبية
Forex See Foreign : Exchange Market	كلمة مختصرة للدلالة على سوق تجارة العملات الأجنبية
Formal Rules :	الأحكام الرسمية
Format :	شكل عرض القائمة المالية
Forward:	عقد آجل صفقة تبدأ في تاريخ متفق عليه بالمستقبل، أي أن " عقد ثلاثة شهور "

	للجنيه البريطاني/ الدولار يبدأ بعد 3 أشهر من تاريخ الصفقة
Forward Exchange Contract:	عقد صرف آجل
Forward Or Future Exchange Rate :	سعر الصرف المحدد مسبقا
Franchise Agreement Obligations :	الالتزامات المبدئية لاتفاقية الامتياز
Fraud :	الغش
Free Exchange Rate :	سعر الصرف الحر
Free Trade :	التجارة الحرة
Freight-In :	تكلفة النقل للداخل
Front And Back Office:	غرفة المتاجرة الأمامية والخلفية:"غرفة المتاجرة الأمامية " تعنى عادة الغرفة التي تتم فيها المتاجرة ، بينما تعنى "غرفة المتاجرة الخلفية" المكان الذي تتم فيه تسوية الصفقات
Full Cost Recovery :	الاستعادة الكاملة للكلفة
Full Disclosoure Principle :	مبدأ الافصاح التام

Full Duplex:	الإرسال ثنائي الاتجاه بث للبيانات باتجاهين في آن واحد، بدون تصادم، عبر أزواج الأسلاك المفتولة أو عبر الكوابل الضوئية. يعتبر التحويل ثنائي الاتجاه طريقة سهلة جداً، لتحسين أداء المزود لعدة أسباب: أن الإرسال ثنائي الاتجاه يخفض تأخير البيانات لدى التحويل، فإذا وصلت الرزمة من بوابة وحيدة الاتجاه أن تبدأ الإرسال، فور التأكد من أن الرزمة القادمة ليست مشوهة، وليس ضرورياً الانتظار حتى تصبح واسطة النقل متاحة للاستخدام
Functional Currency :	العملة الوظيفية
Functional Requirements :	متطلبات وظيفية
Fundemental Analysis:	دارسة لتحركات السوق قائمة على مبدأ "الأسباب و النتائج" وذلك بناء على عدة عوامل تختص بالأخبار و الأحداث العالمية السياسية و التجارية
Funds :	الأموال

المنافع المستقبلية	Future Benefits :
عقود آجلة: عقد قانوني قياسي مبرم لبيع أو شراء سلعة أو متسندات مالية الخ في تاريخ لاحق بالمستقبل	Futures Contract:
الاتجار الآجل: تعنى الاتجار بالسندات المالية أو العملات أو السلع حسب قيمتها المستقبليةً أو حسب تسليمها في تاريخ في المستقبل	Futures:

G

Gains :	مكاسب
Gateway :	معبر مجموعة من العتاد والبرمجيات تربط نظامين يستخدمان بروتوكولات مختلفة
General Price Index :	الرقم القياسي للمستوى العام للأسعار
General Price Level :	المستوى العام للأسعار
General Price Level Adjusted Historical Cost (Gpla) :	مدخل التكلفة التاريخية المعدلة
Generally Accepted Accounting Principles (Gaap) :	المبادئ المحاسبية المتعارف عليها و المقبولة عموماً
Generally Accepted Auditing Standards (Gaas)	معايير التدقيق المتعارف عليها و المقبولة عموماً
Gigabyte:	لجيجابايت هي وحدة تخزين تتكـون مـن 1024 ميجاباي.
Global Changes :	التغيرات العالمية

التكامل الاقتصادي العالمي	Global Economic Integration :
الرقم القياسي للناتج الإجمالي القومي	Gnp Implicit Price Deflator:
فرض استمرارية المشروع	Going Concern (Continuity):
الحاكمية الجيدة	Good Governance :
السلع والخدمات	Goods And Services :
الشهرة	Goodwill :
جوفر هي أداة بحث على الانترنت طورتها جامعه مينوساتا في الولايات المتحدة الأمريكية. كوثيقة موزعه لنظام بحث واسترجاع المعلومات المحملة على الانترنت	Gopher:
السيطرة الحكومية	Government Control :
الخدمات الحكومية	Government Services :
الانفصام بين الحكومة والبائع	Government/ Vendor Divide:
يرمز هذا المصطلح إلى الصور بشتى أشكالها	Graphics:

Graphics Interchange Format (Gif) :	الهيئات المستخدمة لحفظ الرسومات والصور بشكل مضغوط بهدف التوفير في مساحات التخزين اللازمة لها
Gross Income :	مجمل الدخل
Gross Investment :	الاستثمار الإجمالي
Gross Margin :	هامش الربح
Gross Margin Percentage :	نسبة هامش الربح
Gross Profit :	مجمل الربح
Group :	مجموعة
Group Intercompany Transactions :	العمليات المتبادلة بين منشآت المجموعة الواحدة
Gtc Good Till Cancell :	صالح إلى حين إلغائه: أمر يودع لدى الوسيط لإتمام الشراء أو البيع بسعر محدد، ويظل الطلب قائماً إلى حين إلغائه بواسطة العميل.
Guarantee Allowance :	مخصصات الضمان
Guaranteed Residual Value:	القيمة المتبقية المضمونة

H

Hacker:	المبرمج ذو الكفاءة العالية يطلق بصورة عامة على المبرمج وقد تم استعمال هذا الاسم من قبل الصحفيين والصحافة بأنه الفرد الذي يخترق أجهزة الكمبيوتر. ولكن هذا الاسم في أوساط المحترفين يعني المبرمج المحترف
Hard Disk:	محرك القرص الصلب يقوم هذا القرص الصلب بحفظ البيانات ويوفر طريقة سريعة من اجل استدعاءها. ويتم حفظ هذه البيانات على أسطح مشحونة بقوى كهرومغناطيسية
Hardware:	الأجهزة الكهربية والالكترونية والميكانيكية المستعملة لمعالجة البيانات في الحاسب الآلي
Hedging :	تجنب مخاطر تغير سعر العملة

Hedging:	حماية المراكز: عملية اجراء صفقة مالية لتحمى ضد مخاطر الخسارة في صفقة أخرى. ومثل على ذلك هو بيع عقد بالاتجاه القصير (Short Selling)ليعكس صفقة تم شرائها سابقا أو شراء عقد بالاتجاه الطويل ليعكس صفقة ذات بيع بالاتجاه القصير (Short Sale)
Held-To- Maturity Securities :	أوراق مالية تحفظ إلى تاريخ الاستحقاق
Hertz (Hz).	هيرتز وحدة قياس التردد،حيث يقيس كيفية حدوث الأحداث في الغالب،كالطريقة التي يتغير فيها نطاق الموجه وسعتها مع الوقت.ويعادل الهرتز دورة معينة في الثانية الواحدة
Hewlett-Packard:	شركة HP المشهورة أسست عام 1939م من قبل خريجي جامعة ستانفورد ويليام هويليت وديفيد باكرد وكانت في الأصل منشأ البيع بالمزاد
Hidden Liabilities :	الالتزامات المخبوءة

High/Low:	مرتفع / منخفض : هـو أعـلى أو أدنى سـعر لسـلعة مالية تم الاتجار به خلال يوم متاجرة واحد
Hire Purchase :	الشراء الإيجاري
Hire Sale :	البيع الإيجاري
Historical Cost :	التكلفة التاريخية
Historical Exchange Rate :	سعر الصرف التاريخي للعملة الأجنبية
Holding Company :	الشركة القابضة
Holding Gains :	مكاسب الحيازة
Holding Losses:	خسائر الحيازة
Hub:	محورعبارة عن نقطة اتصال موحدة أو جهاز صلب يقـوم بوصـل أجهـزة إيثرنـت متعـددة مـع بعضـها البعض في نفس الشبكة
Human Resources Management And Training :	إدارة الموارد البشرية والتدريب

I

Identifiable :	القابلية للتمييز
Immediate Delivery :	التوصيل الفوري أحد خيارين توفرهما معظم برمجيات البريد الإلكتروني، ويتيح إمكانية إرسال الرسائل الإلكترونية فور الانتهاء من كتابتها. وإذا لم تكن على اتصال بالشبكة وقت الانتهاء من كتابة الرسالة، فسيقوم البرنامج تلقائياً بفتح الخط الهاتفي لتأمين الاتصال بالشبكة
Impairment :	الهبوط
Impairment Of Securities :	الانخفاض في قيمة الأوراق المالية
Implementation :	التنفيذ
Implicit Interest Rate (Lessor) :	سعر الفائدة الضمنية (المؤجر)
Improvement :	تحسين
Inception Of The Lease :	تاريخ نشأة الإيجار

الافتقار إلى الاتساق	Incoherence :
دخل	Income :
الدخل (صافى الدخل)	Income (Net Income) :
قائمة الدخل	Income Statement :
ضريبة الدخل	Income Tax :
سعر الفائدة على الاقتراض الإضافي للمستأجر	Incremental Borrowing Rate (Lessee) :
مستقل	Independent :
قائمة الكلمات الدليلية والبيانات المرتبطة بها التي تشير إلى موقع المعلومات	Index:
الأسعار المبينة والمؤكدة: إن السعر "المبين" هو سعر غير "مؤكد". ان السعر المبين هو سعر للعلم فقط ، ولضمان تثبيته يجب أن يؤكد	Indicated And Firm Prices:
الطريقة غير المباشرة لتحديد صافي النقدية المتأتية (المستخدمة) من الأنشطة التشغيلية	Indirect Method :

Indirect Ownership :	ملكية غير مباشرة
Indirect Quotation :	سعر الصرف بالأسلوب غير المباشر
Industry Practice :	الممارسة الصناعية
Inflation :	التضخم
Inflation Accounting :	المحاسبة عن التضخم
Information Risk :	الخطورة من أن المعلومات المستعملة لإتخاذ القرارات غير دقيقة
Infrared :	الأشعة تحت الحمراء تكنولوجيا الإشعاع الكهرومغنط مع ترددات في مجال الكهرومغناطيسية في مدى اقل من الضوء الأحمر الملموس،وتقدم هذه التكنولوجيا معدلات إرسال عالية مع سعة نطاق واسعة لحد كبير في اتصالات خط الرؤية المباشر
Initial Direct Costs :	التكلفة المباشرة لعقد الإيجار
Initial Franchise Fee :	الريع الابتدائي للامتياز

Initial Margin:	الهامش المبدئي: هو مبلغ الإيداع الذي يجب على العميل تقديمه قبل إجراء أي صفقة
Input Method :	أسلوب المدخلات في تحديد نسبة الإتمام
Inputs :	المدخلات
Inputs Purchased :	المدخلات المشتراة
Inside Look :	النظرة من الداخل
Installment Purchase :	الشراء بالتقسيط
Installment Sale :	البيع بالتقسيط
Instrument:	عقد يتم المتاجرة به
Intangible :	غير ملموس
Intangible Asset :	أصل غير ملموس
Intangible Assets :	أصول غير ملموسة
Integral Periods :	تكامل الفترات

Integrated Services Digital Network (Isdn) :	شبكة الخدمات الرقمية المتكاملة هي شبكة هاتفية رقمية يمكنها تراسل البيانات في هيئة رقمية (سلاسل من 0و1) بدلاً من الهيئة التشابهية . analog وإذا كانت خدمة ISDN متوفرة في منطقتك، فإنها تتيح لك الاتصال بإنترنت بسرعة نقل تصل إلى 128 كيلوبت في الثانية، بدون الحاجة لاستخدام مودم
Integration :	التكامل
Intercompany Elimination :	استبعاد العمليات المتبادلة بين الشركات المندمجة
Intercompany Liablities :	الالتزامات المتبادلة بين الشركات المندمجة
Intercompany Transactions :	العمليات المتبادلة بين الشركات المندمجة
Interest :	الفائدة
Interest Rate Swaps Irs:	مقايضة فائدة العملة: صفقة تجارية يتبادل طرفاها الفائدة الثابتة والعائمة مع بعضهما ، ويمكن اعتبار هذه الصفقة مثل قرضين متوازيين احدهما ثابت والآخر عائم،

ويمكن تحديد السعر العائم مقابل سعر الفائدة بين البنوك في لندن بينما يتم دفع الفروقات بين السعرين بالاتجاه المناسب عند كل تجديد. وفي حال مقايضة فائدة العملة لعملة معينة فأنة لا يتم تبادل المبالغ الأساسية بل فائدة العملة

Interim Financial Statements (Reports) :	قوائم تقارير مالية مرحلية
Internal Accounting Standards :	معايير المحاسبة الدولية
Internal Auditing :	التدقيق الداخلي
Internal Control System :	نظام الرقابة الداخلية
Internal Control Systems :	أنظمة الضبط الداخلي
Internal Revenue Service (Irs) :	مكتب ضريبة الدخل الأمريكي
International Accounting Standards Committee (Iasc):	لجنة معايير المحاسبة الدولية
International Best Practices:	أفضل الممارسات الدولية
International Environment :	البيئة الدولية

International Federation Of Accountants (Ifac :	الإتحاد الدولي للمحاسبين
International Standards On Auditings (Isas) :	معيار التدقيق الدولية
Internet Citizen:	مواطن الشبكة يشير هذا المصطلح إلى حالة الأفراد الذي يشعرون بانتماء قوي إلى شبكة إنترنت، وكأنها موطنهم، فيراعون قوانينها المكتوبة وغير المكتوبة، ويحرصون على سلامتها وأمنها، ويهتمون بتطورها ومستقبلها. ويوصف مثل هؤلاء بأنهم مواطنو شبكة صالحون
Internet Protocol (Ip) :	الهوية الشخصية لمتصل الانترنت و يفترض في هذه الهوية ألا تتكرر بين متصل وآخر، ولو أن هذه الخاصية لا يمكن الاعتماد عليها في أكثر البلدان النامية
Internet Relay Chat (Irc) :	وتعني الدردشة الحقيقية الجماعية عبر الإنترنت عن طريق ما يعرف بالتراسل النصي- الفوري، وقد تطورت الوسائل فأصبحت بالصوت والصورة

Internet:	شبكة الانترنت العالمية هي شبكة اتصالات عنكبوتية موزعة وهرمية مبنية على بروتوكول TCP/IP
Intranet:	انترانت شبكة شركة أو منشئة خاصة أو مغلقة مبنية على بروتكولTCP/IP
Introducing Broker (Ib) :	وسيط معرّف: هو شخص أو شركة تلتمس أو تقبل طلبات شراء أو بيع لعقود آجلة وآنية أو طلبات تبادل العملات ألأجنبية ولكن لا تقبل النقود أو الأصول الأخرى من العملاء لمساندة هذه الطلبات
Inventory :	المخزون - البضاعة
Investing Activities :	الأنشطة الاستثمارية
Investment :	استثمار

J

Java :	جافا لغة من لغات البرمجة مبنية على لغة C.ويطلق على تطبيقات لغة الجافا المنفصلة مصطلحAPPLETS ، كما انها لا تجمع لكل نظام تشغيل مختلف.وهي أول لغة برمجة تستخدم للانترنت.
Job Description :	أوصاف الوظائف
Joint Photographic Experts Group (Jpeg) :	معيار تم تطويره من أجل تشفير ونقل وفك تشفير الصور الثابتة، يستعمل عادة كهيئة للملفات الصورية. الـ jpegأفضل من هيئة الـ GIFللصور الفوتوغرافية في حين أن GIF أفضل في العمليات الرسمية والفنية
Journal :	دفتر اليومية
Judgmental :	الحكم التقييمي
Judicial Branch :	الفرع القضائي
Judicial Independence :	الاستقلال القضائي

K

Key Issues :	القضايا الرئيسية
Key Priority :	أولوية رئيسية
Knowledge- Based Industries :	الصناعات القائمة على المعرفة

L

Lan Adapter:	موائم الشبكة يسمى أيضا بطاقة واجهة الشبكة Network Interface Card وتختصر- NIC ، أو بطاقة التحكم في الشبكة Network Controller ، وهو عبارة عن بطاقة يتم توصيلها باللوحة الأم داخل الكمبيوتر بحيث تتيح له الاتصال بالشبكة
Lan Local Area Network:	شبكة محلية وهي شبكة كمبيوتر صغيرة تكون محدودة في الغالب بمكتب أو مبنى واحد ، وهي تتيح للمستخدمين المتعددين المشاركة في الملفات والموارد الأخرى مثل الطابعات
Laptop:	حاسوب شخصي- حاسوب شخصي- صغير قابل للحمل يعمل ببطارية أو عبر شبكة الكهرباء المحلية ، صمم للاستخدام أثناء التنقل . وعادة ما يستخدم شاشات مسطحة من البلورات السائلة (LCD) في هذه الحواسيب

Last-In-First-Out :	طريقة الوارد أخيرا صادر أولا
Leadership :	القيادة
Lease Payment Receivable :	مدينو عقود الإيجار
Lease Payments :	دفعات الإيجار
Lease Term :	فترة الإيجار
Leased Asset :	أصل مستأجر
Leasee :	المستأجر - عقود الأيجار
Legacy Architecture :	النظم الموروثة
Legal Life :	العمر النظامي القانوني
Legislations :	التشريعات
Legislative :	التشريعي
Legislative Branch :	الفرع التشريعي
Lending Instruments :	أدوات الإقراض
Lending Support :	الدعم الإقراضي

Lessor :	المؤجر
Letters Of Credit :	اعتمادات بنكية - اعتمادات مستندية
Levarage :	الرفع المالي
Leverage:	الرافعة المالية: هي القدرة على التحكم بكميات كبيرة من العملة / السلع بواسطة رأسمال صغير نسبياً
Liabilities :	خصوم التزامات
Liability Containment :	احتواء الالتزامات
Libor:	سعر الفائدة المعروضة بين البنوك في لندن: وتعتبر هذه نقطة مرجعية مستخدمة في معاملات مقايضة أسعار العملة لتحديد الجانب العائم من المعاملات المشتقة كما تستخدم كنقطة مرجعية لغالبية عمليات المتاجرة حول العالم
Limit Order :	امر يعطى مسبقا ، للبيع بالمستقبل ، بسعر متّفق عليه سابقا
Line Item Budget :	الميزانية القائمة على البنود

Link :	وصلة أو رابطة تستخدم كلمة وصلة، في سياق الحديث عن شبكة ويب، للدلالة على نص أو صورة، يمكن بتفعيلها الوصول إلى مكان آخر في الصفحة ذاتها أو في خارجها،وتشير أيضاً إلى الاتصال بين كمبيوترك وبقية الشبكة
Liquid/Illiquid Market:	السوق السائلة أو غير السائلة: السوق السائلة هي حالة عندما يكون فيه الامتداد بين سعر العرض والطلب قليل. كما أنها يمكن أن تعني أن عدد المؤسسات المالية التي تقوم بالمتاجرة بالسوق هو عالي. السوق الغير سائلة هي السوق التي تكون عكس ذلك
Liquidation :	إغلاق مركز مفتوح عن طريق تنفيذ عملية مقابلة
Local Currency :	العملة المحلية
Log In :	تسجيل الدخول الاتصال بشبكة أو كمبيوتر ، وتعريف نفسك عليها ، وكتابة كلمة المرور ، والبدء في جلسة العمل

Log Out :	تسجيل الخروج إنهاء الجلسة وقطع الاتصال بالكمبيوتر
Long Term Construction Contracts :	عقود الإنشاء طويلة الأجل
Long Term Investment :	استثمار طويل الأجل
Long Term Liabilities :	إلتزامات طويلة الأجل
Long-Term Assets :	أصول طويلة الأجل غير متداولة
Long-Term Liabilities :	خصوم طويلة الأجل غير متداولة
Loop Back :	الحلقة الراجعة آلية في مرسلات/مستقبلات إيثرنت، تجعل البيانات المرسلة من بوابة AUI أو MIIإلىMAU ، تعود إلى خطوط الإرسال في واجهة AUI أوMII ، وهي تستخدم لأغراض التشخيص
Lot :	مصطلح يطلق على عدد من العقود ، على سبيل المثال: شراء 5 عقود / لوتس
Lower-Of-Cost-Or-Market (Lcm) Rule :	قاعدة السوق أو التكلفة أيهما أقل

M

Macintosh Operating System :	ماكنتوش هو الاسم الذي حمله نظام التشغيل الرئيسي لحواسب ماكنتوش ابتداء من الإصدار 7.5 عام 1994
Maintanance Of Nominal Capital :	المحافظة على رأس المال الأسمي
Maintanance Of Real Capital :	المحافظة على رأس المال الحقيقي
Majority:	الأغلبية
Managed Account/Discretionary Account :	حساب مدار: ترتيب ما ، يعمل بموجبه صاحب الحساب على إصدار سند توكيل لشخص ما ـ غالباً وسيط ـ لاتخاذ قرارات المتاجرة نيابة عنه
Management Accounting :	المحاسبة الإدارية
Management And Financial Frameworks :	أطر إدارية ومالية
Management Tools :	أدوات الإدارة

Managing Information Systems :	أنظمة إدارة المعلومات
Margin :	هامش: هـو المبلـغ المسـحوب مؤقتـا مـن حسـاب العميل ، عنـدما يقـوم بفـتح صـفقة ماليـة ، وهـو سبيل الضمان لتغطية الخسائر ـ إن حـدثت ـ التـي قـد تـنجم مـن عمليـات المتـاجرة التـي يقـوم بهـا العميل وتتم إعادتها إلى حساب العميل عند إغلاق الصفقة
Margin Call:	طلب إضافة أموال: يطلب من العميل إيداع أموال إضـافية لإعـادة مسـتوى ودائعـه اللازمـة إلى الحـد الأدنى احتياطـاً مـن التقلبـات المعاكسـة المحتملـة بالأسعار في السوق
Marginalized Groups :	الجماعات المهمشة
Mark To Market :	تحديد قيمة المراكز بموجب السوق : هي الطريقـة التي يتم بموجبها تقيـيم المراكـز المفتوحـة للعميـل حسب سعر السوق في وقـت محـدد مـن كـل يـوم عمل
Market :	سوق

Market Maker :	صانع السوق: هو مستحدث سوق حيث يقوم بعرض أسعار البيع و الشراء لصالحة الخاص وبالتالي يقوم بإدارة دفتر المتاجرة الذي لديه بنفسه
Market Research :	بحوث التسويق
Market Risk :	التعرض لأخطار تقلبات السوق.
Market Testing :	اختبارات السوق
Market Value:	القيمة السوقية
Marketable Debt Securities:	الأوراق المالية - على شكل اسناد
Marketable Equity Securities :	الأوراق المالية على شكل أسهم
Matching Principle :	مبدأ المقابلة - الإيرادات بالمصروفات
Material Misstatement :	أخطاء مادية
Materiality :	الأهمية النسبية - المادية
Maturity :	استحقاق
Maturity Date :	تاريخ الاستحقاق
Mb :	ميجابت اختصار لكلمة **Megabit** ، وهي مليون بت تقريبا.

Mbps :	ميجابت في الثانية وحدة لقياس عرض الحزمة، وتعني كلمة" ميجا" في هذا السياق الرقم 10 مرفوعاً إلى الأس 6 ، وليست القيمة المعروفة التي تساوي 1024×1024
Measurement And Recognition :	القياس والتقدير
Measurement Basis :	أساس القياس
Measurement Bias :	تحيز القياس - انحراف القياس
Measurement Unit :	وحدة القياس
Mediate Differences :	التفاوض لحل الخلافات
Mediterranean Partners :	الشركاء المتوسطيين
Mega Pixel :	مقياس للكثافة النقطية للكاميرا الرقمية هو قيمة واحد ميجابكسل تعني بأن الكاميرا يمكنها أن تلتقط مليون بكسل، أو مليون نقطة من البيانات. فصورة أبعادها 640×480 تكون من فئة 0.3 ميجابكسل.

Megabyte :	تعني 1204 كيلو بايت
Memory :	ذاكرة في الغالب تشير الى ذاكرة الوصول العشوائي RAM، وهو المكان الذي يقوم فيه الكمبيوتر بمعالجة الملفات والمعلومات التي يعمل فيها حاليا
Merchandise Inventory :	المخزون السلعي
Microcomputer :	الحاسبات الدقيقة موجودة غالبا في المنزل أو في الشركات الصغيرة. كلفة الحاسوب الآلي الدقيق رخيصة
Microprocessor :	المعالج الصغير وحدة معالجة مركزية **Central Processing Unit**،اهو جزء من الكمبيوتر الذي يتصل بالذاكرة ، وبأجهزة التخزين ، ويؤدي العمليات الحسابية والمنطقية ، ويتحكم في عمل الكمبيوتر
Microsoft :	هي اكبر شركات تصنيع البرمجيات والرائدة في ذلك عالمياً، تأسست هذه الشركة عام 1975م على يد بيل غيتس وبول ألين

Minicomputer:	أحد أنواع الحواسب الآلية وهي غالبا أكبر حجـما من الحواسب الشخصية وتستطيع إجـراء عمليـات المعالجة لأكثر من مستخدم واحـد. وإذا كنـت مـن أحد مستخدمي نظام الحاسب الآلي الصـغير، فإنـك تستعمل حاسوب طرفي terminal من أجل إدخال الطلبات ورؤية النتائج
Minicomputers:	كمبيوتر متوسط كمبيوتر بحجم متوسط (أكبر من الكمبيوتر الصغير ولكن أصغر من الكمبيوتر العملاق)، مثل كمبيوتر DEC VAX الذي يستطيع أن يتعامل مع عدة مهام وحوالي 100 مستخدم في نفس الوقت (مقارنة بحوالي 1000 مستخدم للكمبيوتر العملاق)
Minimum Lease Payments :	الحد الأدنى لدفعات الإيجار
Minimum Price Fluctuation:	أقل تغير للسعر ممكن حدوثه عنـد متـاجرة عقـد معين ، و عـادة مـا يسـمى " تيـك .(tick) "و هـي أقل وحدة للتغير بالسعر للسلعة التي يتاجر بها

Minority Interest :	حصة الأقلية
Mix Of Sales :	مزيج المبيعات
Modern Management :	الإدارة الحديثة
Modulator De Modulator (Modem) :	بطاقة توصيل بطاقة تستخدم لتوصيل بين أجهزة حاسبات بعضها ببعض باستخدام خط تليفوني، حيث تقوم بتحويل البيانات الرقمية في الحاسب إلى بيانات تماثلية لتنتقل عبر خطوط الهاتف والعكس
Molds :	القوالب
Monetary :	نقدية - نقد
Monetary Items :	البنود النقدية
Monetary- Non Monetary Method :	طريقة البنود النقدية / غير النقدية
Monetary Unit Assumption:	فرض وحدة النقود للقياس
Monopoly :	احتكار
Mortgage :	الرهن

Mp3 :	نوع جديد من MPEG الطبقة الثالثة لقياس جديد لضغط الملفات الصوتية فهي قادرة على الضغط بنسبة 1:10 بدون فقدان ملحوظة كفاءة الصوت
Mpeg :	قياس لضغط الملفات هو نوع قياس لضغط الملفات الصوتية و الفيلمية إلى تنسيق جذاب ليمكن تحميلها عبر الإنترنت.تعد ملفاتMPEG في الغالب اصغر حجما من ملفاتQuickTime أو VideoWindows لذلك فان كفاءتها ليست دائما جيدة
Multimedia:	وسائط متعددة هي تقنية دمج الصوت و الصورة والفيديو
Multinational Corporations:	الشركات متعددة الجنسية
Municipalities :	البلديات

N

National Accounts :	الحسابات الوطنية
Net Assets :	صـافي الأصـول - الفـرق بـين مجمـوع الأصـول و مجموع الإلتزامات
Net Cash Flows :	صافي التدفقات النقدية
Net Income :	صافي الدخل
Net Investment :	صافي الاستثمار
Net Realiable Value :	صافي القيمية التحصيلية
Net Realizable Value :	صافي القيمة البيعية القابلة للتحقق
Net Working Capital :	صافي رأس المال العامل
Net Worth :	القيمة الصافية
Net :	شبكة هو أحد المستويات العليا لأسماء النطاقات Domain names بحيث يتمّ اختيـاره عنـد حجـز نطاق جديد

Network Commerce:	تجارة الشبكة هو التبادل التجاري للسلع والخدمات و المعلومات بين اثنين أو أكثر من الأجزاء المتوفرة على الشبكة التي تدعمها الوسيلة الرقمية.
Network Revolution :	ثورة الشبكات زمن التحول من الثورة الصناعية الى اقتصاد الشبكة
Network :	شبكة هي عبارة عن مجموعة من أجهزة الكمبيوتر متصلة ببعضها البعض بخطوط اتصالات داخلي
Networking :	التشبيك
Neutrality :	الحياد
Newsgroups :	مجموعات الأخبار هو نظام رسمي لتنظيم لوحات الملاحظة والأخبار على شبكة الانترنت،ويمكن لأي مستخدم للنت أن يقرأ الرسائل ويكتبها الى مجموعات الأخبار
Nfs :	نظام ملفات الشبكة خدمة في نظام لينوكس قامت شركة صن ميكروسستمز بتطويرها منذ مطلع الثمانينات وهي الخدمة التي تقابلها خدمة مشاركة الملفات في نظام الوندوز

Noise :	ضوضاء وهي اشارات كهربائيـة عشـوائية يمكـن ان تحـدث عـلى الكـابلات وتشـوه أو تفسـد البيانـات التي تمـر عليهـا،وتنتج الضوضـاء بواسـطة خطـوط الكهربـاء أي أداة تسـتخدم موتـوراً كهربائيـاً مثـل المكيفات
Nominal Value :	القيمة الأسمية
Non Cancelable Leases :	عقود الإيجار غير القابلة للإلغاء
Non Controling Interest :	حصة حقوق الملكية غير المسيطرة
Non-Interest Bearing Note :	ورقة تجارية لا تحمل فائدة
Nonmonetary Items :	البنود غير النقدية
Normal Capacity :	الطاقة العادية
Notebook :	حاسوب دفتري
Notes Payable :	أوراق الدفع
Notes Receivable :	أوراق القبض

O

Objectivity :	الموضوعية
Obligations :	التزامات
Office Automation :	الأتمتة المكتبية
Official Gazette :	الجريدة الرسمية
Official Or Fixed Rate :	سعر الصرف الرسمي أو الثابت للعملة الأجنبية
Offset :	عوضا عن : اتخاذ مركز آجل آخر معاكس للمركز المبدئي أو الافتتاحي
On- Line Mediation :	إمكانية الوساطة عن طريق الإنترنت
On- Street Parking Management :	إدارة وقوف السيارات في الشوارع
One Cancels Other Order :	أمر يلغى أمر أخر: الحالة التي يؤدي فيها تنفيذ أمر إلى الالغاء التلقائي لأمر سابق

Online Service :	خدمة مباشرة شركة تملك شبكة خاصة بها وتوفر لمشتركيها إمكانية التعامل مع البريد الإلكتروني والمحادثة ، والألعاب ، وقواعد بيانات بالمعلومات ، وملفات للتحميل ، مثل شبكة أمريكا أون لاين
Open Position :	مركز مفتوح : الصفقة التي لم يتم تسويتها بالمقابل بصفقة معاكسة
Operating Activities :	ألأنشطة التشغيلية
Operating Expenses :	المصاريف التشغيلية
Operating Income :	ربح العمليات - الربح التشغيلي
Operating Leases :	عقود الإيجار التشغيلي
Operating System :	نظام تشغيل البرنامج الذي يحكم كل اتصالات واستخدامات موارد الكمبيوتر مثل الذاكرة memory، والقرص الصلبhard disk ، وهو أيضا حلقة الوصل بين البرامج وبين موارد النظام.
Operation :	عملية - تشغيل

Operation Management :	إدارة العمليات
Operational Audit :	مراجعة الإجراءات التشغيلية لمنظمة لتقييم الكفاءة و الفعالية
Operational Projects :	المشاريع العملانية
Optical Communications :	اتصالات بصرية
Optical Fibers :	ألياف ضوئية هو عبارة عن الوسط في عملية إرسال البيانات الرقمية على هيئة نبضات ضوئية عبر أسلاك زجاجية أو بلاستيكية أو ليفية
Order :	أمر أو تعليمات لإجراء متاجرة
Organization Cost :	تكاليف التأسيس
Organization Period :	مرحلة الإنشاء
Oscilloscope :	مجال ذبذبة هو جهاز الكتروني يقيس كمية الجهد أو الفولت الخاص بالإشارة في وحدة وقت معين لعرض الناتج على المراقب
Other-Than- Temporary Impairment :	انخفاض غير مؤقت

Outdated Systems And Procedures :	إجراءات متخلفة
Output :	المخرج
Output Method :	أسلوب المخرجات في تحديد نسبة الإنجاز
Outputs Produced :	المخرجات المنتجة
Over- The-Counter Market (Otc) :	متاجرة خارج سوق التبادل:هي حالة يتم عبرها شراء وبيع السلع المالية مثل العملات الأجنبية والسندات والبنود الأخرى خارج السوق المالي ، بواسطة الهاتف ووسائل الاتصالات الأخرى
Overall Resource Planning :	التخطيط الشامل للموارد
Overlap :	التقاطعات
Owner :	المالك
Owners Equity :	حقوق أصحاب المشروع

P

Paid In Capital :	رأس المال الاضافي زيادة عن رأس المال
Parent Company :	الشركة الأم
Participation And Partnership :	المشاركة والشراكة
Partnership :	شركة تضامن - أشخاص
Partnership :	المشاركة
Patent :	براءة اختراع
Peer – To – Peer Network :	شبكة الحاسبات المتساوية تستخدم بيئة الشبكات هذه في جعل كل أجهزة الكمبيوتر المشتركة في الشبكة متساوية أو متناظرة ولا يوجد فيها خادم مكرس،ويستخدم فيها كل كمبيوتر لعميل وخادم في الوقت نفسه
Peer Review :	مراجعة مدققين قانونيين بشكل دوري لشركة تدقيق من حيث التزامها بنظام رقابة الكفاءة

Pension :	تقاعد
Percentage Of Completion Method :	نسبة الإنجاز أو نسبة الإتمام
Percentage Of Completion Principle :	مبدأ نسبة الإنجاز
Performance :	الأداء
Performance Management :	إدارة الأداء
Performance- Oriented Management :	إدارة موجهة نحو الأداء
Periodic Inventory System :	نظام المخزون الدورى
Personal Computer(Pc) :	كمبيوتر شخصي- وهو كمبيوتر صغير ، عادة ما يكون IBM أو متوافق معه ، أو ماكنتوش ، وربما يكون أميجا.
Personal Digital Assistant (Pda) :	المساعد الرقمي الشخصي يصف هذا المصطلح كمبيوتر محمولاً و مصمماً لكي يقدم وظائف معينة قد نظمت شخصياً،تشتمل على أجندة ومذكرات وقاعدة بيانات والاله الحاسبة والاتصالات.وتعتمد على قلم بدلاً من الفأرة لإدخال البيانات

Pilot Plants :	الوحدات الصناعية التجريبية
Pilot Work :	أعمال استطلاعية
Pip Or Points :	نقاط بالاستناد إلى سياق النص فأنها تعني نقطة اساس واحدة من السعر أي0.0001
Planning :	التخطيط
Plant :	أصول - في مصنع
Plant Assets :	أصول المصنع طويلة الأجل
Platform :	منصة أحد أنواع الكمبيوتر أو نظم التشغيل
Policy Framework :	إطار للسياسات
Policy Management :	إدارة السياسات
Political Participation :	المشاركة السياسية
Position :	مركز: انه مركز فى سوق يقام بالتعبير عنة بالشراء أو البيع
Post-Balance-Sheet Events :	الأحداث اللاحقة

Prediction :	تنبؤ
Predictive Value :	القيمة التنبؤية
Preferred Stock :	الأسهم الممتازة
Premium :	علاوة إصدار
Pre-Operating Cost :	تكاليف ما قبل التشغيل
Prepaid Expenses :	مصروفات مدفوعة مقدماً
Prepaid Insurance :	تأمين مدفوع مقدما
Price Index :	رقم قياسي للأسعار
Price Level Changes :	تغيرات في المستوى العام للأسعار
Pricing :	التسعير
Prior-Period Adjustments :	تسويات سنوات سابقة
Privacy :	خصوصية الخصوصية في عالم التقنية هي الحق في سرية البيانات الشخصية والمعلومات المتداولة عن الشخص او أنشطته المالية والاجتماعية والعلمية والسياسية وغيرها

Private Operators :	المشغلون الخاصون
Private Sector :	القطاع الخاص
Proceduralism :	الالتزام بالإجراءات
Process :	عملية برنامج كمبيوتر أو جزء منه يتم تنفيذه داخل نظام تشغيل متعدد المهام، وبشمولية أكثر و هي واحدة من مهام عدة يقوم بها الكمبيوتر
Processes :	الطرائق
Processor :	معالج هي عبارة عن دائرة متكاملة مبنية داخل قطعة من السيليكون وبها الملايين من الترانزستور المتصلة ببعضها عن طريق وصلات من الألمونيوم الرفيعة جدا، وهي عقل الكمبيوتر
Production Lines :	خطوط الإنتاج
Productive Investment :	الاستثمار المنتج
Productive Life :	العمر الإنتاجي
Professionalism :	الاحتراف / المهنية الرفيعة

ربح	Profit :
هامش الربح	Profit Margin :
تعظيم الربح	Profit Maximization :
الربحية	Profitability :
الحاكمية البرامجية	Programme Governance :
منظمة هي المنظمة التي تنشر كتبا لا يوجد حقوق نشر لها على الإنترنت، ويمكن الوصول إليها عن طريق(FTP لا يتطلب تحديد هوية)	Project Gutenberg :
أوراق قبض - كمبيالات	Promissory Note :
ممتلكات	Property :
إدارة الأملاك	Property Management :
بروتوكول هو مجموعة القواعد أو المعايير المصممة لمساعدة الحاسبات في الاتصال ببعض ومع الملحقات المتصلة بها لتبادل المعلومات معاً بأقل درجة من الخطأ.وتؤثر على أوضاع الاتصالات المختلفة	Protocol :

النماذج الأولية	Prototypes :
مزود البروكسي هو مزود يعمل كوسيط بين مستخدم محطة العمل والانترنت وذلك لكي تتحكم الشركة بالأمن التقني والتحكم الإداري	Proxy :
محاسب قانوني	Public Accountant :
شبكة البيانات العامة هي شبكة عريضة ذات طابع تجاري لتحويل حزم البيانات أو الدوائر التي تقوم بتوفيرها الشركات المسؤولة عن الاتصالات عن بعد	Public Data Network (Pdn):
الإنفاق العام	Public Expenditure :
الأموال العامة	Public Funds :
الصالح العام	Public Interest :
الحوار بين العام والخاص	Public- Private Dialogue :
النقل العام	Public Transport :
مسموحات المشتريات	Purchase Allowance :

Purchase Discount :	خصم الشراء
Purchased Goodwill :	الشهرة المشتراه
Purchaser :	المشتري
Purchases :	مشتريات
Purchases Allowances :	مسموحات المشتريات
Purchases Returns :	مردودات المشتريات

Q

Qbasic :	هو مترجم متطور للغة البرمجة المسمية بـBasic
Qualified Opinion :	رأي مقيد
Qualifying Assets :	الأصل المؤهل
Qualitative :	نوعي
Qualitative Characteristics Of Accounting Information:	الصفات النوعية للمعلومات المحاسبية
Quality Control :	طرق تتبعها شركات التدقيق للتأكد أن الشركة تلتزم بمسؤولياتها المهنية تجاه العملاء و كمي الآخرين
Quality Management :	إدارة الجودة
Quality Procedures :	إجراءات لضمان النوعية
Quantitative :	الجود
Quantity Discount :	خصم كمية

لغة استفسار جزء من لغة معالجة البيانات، خاصة الجزء المتعلق باسترداد البيانات وقراءتها من قاعدة البيانات، وهي تستخدم أحياناً لتشير إلى لغة معالجة المعلومات كلها	Query Language :
كويك تايم هو توسيع متعدد الوسائط لبرمجيات Apple Macintosh System 7، وهو متاح أيضاً من أجلWindows	Quicktime (Qt) :
سعر للسوق يستخدم بهدف المعرفة فقط	Quote :

R

Random Access Memory (Ram) :	ذاكرة الوصول العشوائي هي التي يمكن لأي برنامج أو عملية القراءة منها أو الكتابة إليها . وعادة ما يتم الربط بينها وبين وحدات التخزين بالكمبيوتر على سبيل الخطأ ، نظرا لأن كلاهما يتم قياسه بالميجابايت
Rate :	سعر لعملة معينة بالمقارنة مع عملة أخرى ، و يستخدم هذا النوع من الأسعار بهدف المتاجرة
Readily Determinable Fair Value :	قيمة عادلة يمكن تحديدها بشكل فوري
Readily Marketable Securities :	أوراق مالية قابلة للتداول الفوري
Read-Only Memory (Rom):	ذاكرة القراءة فقط هي ذاكرة مثبتة بالجهاز لا يمكن تعديل محتوياتها
Real - Time :	الوقت الحقيقي هو الوقت المنقضي- في الاتصال المتزامن، أي الإرسال أو التفاعل دون أي تأخير في الوقت

القيمة القابلة للتحقق	Realizable Value :
التحقق	Realization :
مبدأ التحقق	Realization Principle :
المكاسب والخسائر المحققة	Realized Holding Gains And Losses :
الدخل المحقق أو الربح المحقق	Realized Income :
الإصلاح	Reform :
البيئة الإقليمية	Regional Environment :
المنظمات الإقليمية	Regional Organization :
القواعد	Regulations :
العمليات مع ذوى العلاقة	Related Party Transactions :
الملاءمة	Relevance :
امكانية الاعتماد (الاعتمادية) - الموثوقية	Reliability :
موثوق	Reliable :

Remote Access:	وصول عن بعد عملية الوصول الى مصادر كمبيوتر آخر ، مثل الملفات أو الطابعات . وتعد حسابات الاتصال الهاتفي وخدمة تلنت من صور الوصول عن بعد
Remote Login :	دخول عن بعد الاتصال بكمبيوتر بعيد من خلال إحدى الشبكات، والذي يتم عادة على الإنترنت باستخدام تيلنت
Rent :	دفعة إيجار
Replacement Cost :	تكلفة الإحلال أو تكلفة الإستبدال
Reporting Currency :	عملة التقرير أو العملة المحلية للشركة الأم
Representation :	عرض
Representiational Faithfullness :	العرض الصادق
Research :	البحث
Reserves :	احتياطيات
Residual Value :	القيمة المبقاة

Resistance (Resistance Level :	مقاومة ـ مستوى المقاومة: مستوى السعر الذي يتوقع فيه إتمام عملية البيع
Resource Management :	إدارة إدارة حافظة الاستثمارات الموارد
Responsibility Accounting :	محاسبة المسؤولية
Restraints :	الكوابح
Restructuring :	إعادة هيكلة
Restructuring Public Administration :	إعادة هيكلة الإدارة العامة
Result Oriented :	التوجه إلى النتائج
Retained Earnings :	الأرباح المجمعة - الأرباح المحتجزة
Returns :	المردودات
Reuse :	إعادة استعمال
Revaluation :	اعادة تقويم
Revenue :	الإيرادات
Revenue Estimates :	تقديرات الإيرادات

Revenue From Franchises :	إيرادات ريع الامتياز
Revenue Realization :	تحقق الإيراد
Revenue Realization Principle :	مبدأ تحقق الإيراد
Revenues :	ايرادات
Risk :	مخاطرة
Risk :	التعرض لتغييرات غير محددة المقدار، و التي عادة ما تحمل مفهوماً سلبياً
Rollover :	التدوير: الوضع الذي يتم فيه نقل الصفقة إلى قيمة تاريخية أخرى (**Value Date**) بالاستناد إلى أسعار الفائدة التفاضلية بين عملتين مشتركتين بالمتاجرة
Router :	موجه هي أداة تستخدم لوصل شبكات من أنواع مختلفة معاً.كالشبكات التي تستخدم معماريات وبرتوكولات مختلفة
Routine Or Periodic Alterations :	التغييرات الرتيبة المتكررة أو الفترية
Rules :	القواعد
Running Cost :	التكاليف الجارية

S

Sale - Lease Backs عقود :	البيع ثم الإستئجار
Sale - Type Leases (Us) :	عقود البيع الإيجاري
Sale With Right To Return :	البيع مع حق رد السلع المبيعة
Sales :	مبيعات
Sales Allowances :	مسموحات المبيعات
Sales Discount :	خصم المبيعات
Sales Returns :	مردودات المبيعات
Salvage Value :	القيمة الباقية للأصل بعد نهاية عمره الإنتاجي - القيمة التخريدية
Search Engine :	محرك بحث هي خدمة الكترونية تتصفح شبكة الانترنت لمواقع الويب عليها المرتبطة بالمعايير المدخلة بواسطة مستخدم نهائي ،وتسترجع قائمة المواقع الملائمة للبحث
Second-Degree Relatives :	أقارب من الدرجة الثانية

Securities And Exchange Commission (Sec) :	مجلس الأوراق المالية الأمريكي
Security :	الأمان
Segment :	قسم
Segmental Reporting :	التقارير القطاعية
Self- Management Authorities:	السلطة ذاتية الإدارة
Seller / Lessee :	البائع / المستأجر
Selling Expenses :	مصاريف البيع - مصروفات البيع
Selling Price :	سعر البيع
Server :	المزود أو الخادم جهاز كمبيوتر يوفر المعلومات أو المصادر الأخرى للبرامج العميلة المتصلة به. بالنسبة للشبكات التقليدية ، يشير الخادم الى جهاز كمبيوتر ، بينما في برامج خادم/عميل ، يشير الخادم الى برنامج
Service Delivery Capacity :	القدرة على تزويد الخدمة

Service Provider : مزود الخدمة الشركة التي توفر الوصول المباشر الى الإنترنت

Settlement : عملية التسجيل لصفقة معينة بالسجلات المخصصة، مع ذكر جميع الأطراف المعنية بها. بالنسبة لتسجيل صفقات المتاجرة بالعملات يمكن أن تتضمن أو لا تتضمن تبادل مادي للعملات

Settlement Date : تاريخ التحصيل أو التسديد

Shared Goals : أهداف مشتركة

Shareholders (Stockholders): المساهمون

Shareholders' Equity : حقوق المساهمين

Shielding : العزل هي خيوط الشبكة المعدنية المتماسكة التي تحيط ببعض أنواع الكابلات،ويحمي العزل إرسال البيانات عن طريق امتصاص إشارات التشويش والضوضاء الالكترونية الاشارات الكهربائية العشوائية

Short : التوجه القصير: المركز بالسوق حيث يبيع

فيه عميل سلعة لا يمتلكها في حينه، أي أن يبيعها قبل أن يشتريها. فإذا كان المتاجر "قصيرا بالدولار" فهو باع الدولار بمستوى سعر معين متوقعاً أن يقوم لاحقا بشرائه عندما ينخفض سعره

Short Term Contracts : عقود إنشاءات قصيرة الأجل

Significant Influence : تأثير فعال

Similar Asset : الأصل المماثل

Sister Company : شركة شقيقة

Smart Card : الكارت الذكي هو كارت يشمل على شريحة دقيقة التي يمكنها تخزين المعلومات ونقلها.

Social Assessment : التقييم الاجتماعي

Social Inclusion : الإدماج الاجتماعي

Socio- Economic Balance : التوازن الاجتماعي - الاقتصادي

Software : برمجيات هي تعليمات أو بيانات الحاسب،

وأي شيء يمكن تخزينه الكترونيا فهو برنامج	
طريقة الوحدات المميزة	Specific- Unit-Cost Method:
مضارب: مشارك بالسوق يحاول جني الأرباح من جراء شراء وبيع عقود آجلة ، بسبب توقعاته لتحركات الأسعار لاحقاً	Speculator :
فوري : تدل عادة على سعر السوق اللآني ، (السعر خلال يومين) لسندات / سلع مالية	Spot :
سعر الصرف أو التبادل الآتي	Spot Rate :
الفارق: هو فرق السعر بالنقاط (PIPS) ، بين سعر العرض وسعر الطلب	Spread:
التوظيف	Staffing :
أصحاب المصلحة	Stakeholders :
الكمبيوتر المستقل هو الغير مرتبط بأي حاسبات أخرى،حيث لايكون جزءاً أو مكوناً للشبكة	Stand – Alone Computer:
التكاليف المعيارية	Standard Costs :

Standard Electronic Transaction (Set):	معيار التصرف الالكتروني هو المعيار الـذي وافقـت عليه كل من ماستر كارد والفيزا ،لكي تساعد التجارة الالكترونية أن تنجز عبر شبكة الانترنت.
Statement Of Changes In Owners' Equity :	قائمة التغيرات في حقوق الملكية
Statements Of Financial Accounting Standards (Fasb):	نشرات مجلس معايير المحاسبة المالية الأمريكي
Statements On Auditing Standards (Sass) :	إفصاحات تصدر مـن جمعيـة المـدققين القـانونيين الأمريكية لتفسير معايير التدقيق المقبولة عموماً
Sterling :	مصـطلح باللغـة العاميـة يطلـق عـلى الجنيـة الأسترليني
Stock :	رأس مال الأسهم
Stock Authorization And Issuance :	التصريح و الإصدار لرأس مال الأسهم
Stock Dividends :	أرباح أسهم على شكل أسهم و ليس نقداً
Stock Index :	مؤشر الأسهم : مؤشر مستخدم لقياس

	وبيان التغييرات في قيمة مجموعة مختارة من الأسهم
Stock Market :	سوق الأسهم : السوق الذي يتم فيه شراء وبيع الأسهم
Stock Premiums :	علاوة إصدار رأس المال
Stop Order/Stop Loss Order:	أمر إيقاف/ أمر إيقاف الخسارة: هو أمر بيع أو شراء يحدد مسبقا وينفذ عندما تصل السوق إلى سعر معين حدده العميل
Strategic Initiatives :	المبادرات الاستراتيجية
Strategic Institutions :	المؤسسات الاستراتيجية
Strategic Systems Audit :	مدخل تدقيقي يعتمد على فهم بيئة عمل العميل من حيث الاستراتيجية و العمليات و العلاقات الخارجية
Strategy :	استراتيجية
Structural Adjustment :	التكيف الهيكلي
Structural Transformation :	التحويل البنيوي

Subsidiary :	المنشأة التابعة
Subsidiary Company :	شركة تابعة
Support Or Support Level:	مساند/ المستوى المساند: مستوى السعر الذي يتوقع فيه إبرام عملية الشراء
Support Services :	الخدمات المساندة
Swaps :	المقايضات : تستخدم المقايضات لاستبدال عملة بعملة أخرى ثم عكسها ثانية خلال مدة زمنية محددة. يشير احتساب سعر المقايضة إلى فروقات أسعار الفائدة بين عملتين أساسيتين
Switch :	محول المحول هو جهاز يقوم بتوزيع البيانات الواردة من أي منفذ إلى منفذ آخر محدد والذي سيوصل هذه البيانات إلى الجهة المستهدفة
Synchronous Digital Transmission (Sdt):	إرسال رقمي متزامن هي طريقة تساعد القنوات المستقلة في الإشارة المتعددة كي تسترجع دون فك الإشارة المتعددة من على الانترنت
Synergy :	التفاعل المتبادل

T

Targetting :	التوجه شراء مساحات إعلانية على مواقع ويب يقصدها جمهور محدد من المستخدمين، اعتماداً على المعلومات البشرية-الجغرافية (demographic) التي يقدمها الموقع، مثل الجنس، وفئة العمر، والاهتمامات، ومعدل الدخل
Tax - Taxation :	ضريبة
Teaching Tool :	أداة تعليم
Technical Analysis :	تحليل تقني : تحليل يستند إلى التحركات بالسوق عبر دراسة الرسومات البيانية وحركة متوسط الأسعار وحجم التبادل والمؤشرات التقنية الأخرى
Technical Feasibility :	الجدوى الفنية
Techniques :	أساليب
Technologists :	التكنولوجيين

Telephone Network (Telnet):	شبكة تلفونية هو عبارة عن محطة ظاهرية وبرنامج وبروتوكول مضاهاة. يستعمل في شبكات الـ TCP/IP مثل الانترنت من أجل الدخول عن البعد إلى الشبكة. و تعمل من خلال استعمال بروتوكول الـ.TCP
Telnet:	بروتوكول إنترنت بروتوكول إنترنت القياسي للاتصال بالطرفيات البعيدة (remote terminate) تتوفر زبائن بروتوكول "تلينت Telnet client "لمعظم منصات العمل. عندما تستخدم "تلينت" للاتصال بأحد مواقع "يونيكس"، مثلاً، تستطيع إصدار أوامر مشابهة لأوامر دوس (مثلLIST ، وDELE ، وUSER ، الخ..) ، وكما لو كان الموقع كمبيوتراً محلياً
Temporal Method :	الطريقة الزمنية لترجمة القوائم المالية الأجنبية

Thread :	في عالم المنتديات فإن التشعب هو سلسلة من الردود على موضوع واحد مما يتيح للقارئ أو الزائر أن يتابع الردود بسهولة
Threats :	المخاطر
Tick :	أقل زيادة مسموح بها للتغيير بالسعر لسلعة خلال جلسة المتاجرة
Ticker:	جدول و/أو رسم بيانى أو كلاهما يعرض التسلسل الزمني لكل عملية متاجرة لسلعة معينة. كما يعرض المؤشر اتجاه تحركات السوق. توجد مؤشرات للمتاجرة اليومية موضحة التحركات اليومية بينما توجد مؤشرات تعرض المؤشرات التاريخية للتحركات الطويلة المدى. يميل المتاجرون إلى استخدام الرسومات البيانية والتى تعرض اتجاه تحركات السوق بطريقة مبسطة وسهلة
Timeliness :	التوقيت المناسب - التوقيت الجيد
Tools :	أدوات

Topology :	طوبولوجيا هي تقنية تستخدم في ترتيب الحاسبات والكابلات والمكونات المتعلقة بشبكة المعلومات
Total Assets :	الأصول الكلية
Trade Discount :	خصم تجاري
Transaction :	عملية مالية
Transaction Adjustments :	تسويات أو فروقات ترجمة القوائم المالية الأجنبية
Transaction Date :	تاريخ إجراء الصفقة
Transactions :	المعاملات
Transfers Between Categories Of Investments :	التحويلات بين مجموعات الاستثمار (إعادة تصنيف الأوراق المالية)
Transitional Economies :	الاقتصادات الانتقالية
Translated Financial Statements :	قوائم مالية مترجمة
Translation Gains	مكاسب ترجمة القوائم المالية المعدة بالعملة الأجنبية

Translation Losses :	خسائر ترجمة القوائم المالية المعدة بالعملة الأجنبية
Transparency :	الشفافية
Trend :	الاتجاه العام للسوق المتحرك ، كما يظهر بأوقات الذروة لتحركات السوق الصاعدة و الهابطة و نهايات تحركات الأسعار
Trial Balance :	ميزان المراجعة
Trophies :	الجوائز التذكارية
Twisted Pair:	كابلات الأزواج المفتولة اسم آخر للكابلات من نوع 10 .Base-Tويمكن أن تعني أيضاً أي نوع من الكوابل التي تحتوي على أزواج مفتولة ومنفصلة من الأسلاك. تتألف أزواج النوع10Base-T ، من الأسلاك 1+2 و 3+6، ويمكن بهذا إعداد الكابلات المتصالبة بوصل السلك 1 مع 3 والسلك 2 مع 6

U

Uncertainty :	عدم التأكد
Unconfirmed (Unrealized) Profits (Losses) :	الأرباح (الخسائر) غير المحققة
Underdeveloped Economies:	الاقتصادات الأقل نمواً
Understandability :	قابلية الفهم
Unearned Interest Revenue :	إيرادات الفائدة غير المكتسبة
Unearned Revenue :	إيراد غير مكتسب
Unguaranteed Residual Value:	القيمة المبقاة غير المضمونة
Unit Of Measure :	وحدة العملة التي تقاس بها مفردات القوائم المالية

Unix :	نظام التّشغيل الذي نشأ في عام 1969 كنظام مشاركة تفاعليّ. وقد اخترع هذا النظام كين ثومبسون و دينيس ريتتشي. **UDP (User Datagram Protocol)** بروتوكولات جزئيات بيانات المستخدم هو أحد بروتوكولات يسمح بنقل حزم أو جزئيات **datagram**من البيانات، بين تطبيقات الانترنت
Unrealized Holding Gains And Loss :	المكاسب والخسائر غير المحققة
Unrealized Loss :	خسارة غير متحققة
Unrealized Profit - Unrealized Gain :	ربح غير متحقق
Url (Uniform Resource Locator) :	عنوان الموارد الموحد هو مؤشر يدل على مكان وجود صفحة، أو أي نوع آخر من الموارد، ضمن فضاء شبكة ويب. وأصبح من الشائع استخدام هذا النوع من العناوين في بطاقات رجال الأعمال والإعلانات، كمرجع لصفحات ذات صلة، في شبكة ويب

User :	مستخدم هو أي شخص يقوم بالدخول الى نظام تشغيل الكمبيوتر أو الى إحدى الشبكات
User Group :	أعضاء مجموعة المستخدمين مجموعة من الأشخاص لهم نفس الاهتمامات والأهداف. ولديهم مقابلات نظامية تمكنهم من المشاركة بأفكارهم
Username :	اسم المستخدم هو الاسم الذي يدخل به المستخدم من خلاله وهو كذلك أول جزء في عنوان البريد الإلكتروني على الإنترنت (نهايته عند الرمز @)
Utilities :	المرافق
Utilities Expenses :	مصروفات المنافع الخدمية - مثل الماء و الكهرباء إلخ

V

Valuation :	تقويم
Variable Name:	اسم أبجدي رقمي معين من قبل المبرمج لتمثيل متغير في برنامج الكمبيوتر
Vendor Partnership :	الشراكة مع البائعين
Verifiability :	قابلية التحقق و الصحة
Virtual Device :	جهاز وهمي
Virtual Lan (Vlan):	شبكة وهمية شبكة محلية مكونه من عدة مجموعات من الحواسب المضيفة المتباعدة فيزيائياً و لكنها تبدو و كأنها متصلة على نفس الخط
Virtual Learning :	التعليم الإلكتروني هو نوع من التعليم المعتمد على استخدام الوسائط الإلكترونية في الاتصال، واستقبال المعلومات واكتساب المهارات، والتفاعل بين المعلم والطالب والمدرسة وربما بين المدرسة والعلم

Virtual Reality Modeling Language - Vrml :	المقابل ثلاثي الأبعاد للغة هي لغة مفسرة تسمح بوصف مشاهد ثلاثية الأبعاد غنية،باستخدام ملفات نصوص بسيطة،يمكن عرضها بواسطة متصفحات تدعم لغة **VRML**
Virtual Teacher :	المعلم الإلكتروني وهو المعلم الذي يتفاعل مع المتعلم الإلكتروني، ويقوم بالإشراف التعليمي على عملية التعلم، داخل المؤسسة التعليمية أو في منزله، وغالبًا لا يرتبط هذا المعلم بوقت محدد للعمل
Virtula Learner :	المتعلم الإلكتروني هو ما يعرف بالوكيل الإلكتروني «**Cyber agent**»و الذي يحل محل الطالب في الجلسات التعليمية عند عدم حضور الطالب، فهو رفيق الدراسة الافتراضي«**Virtual Companion**» وهو عبارة عن برنامج إرشادي وتعليمي يتفاعل معه الطالب الحقيقي
Virus :	فيروس برنامج يقوم بإحداث تلفيات على نحو معتمد بالكمبيوتر ، وعادة ما يكون هذا البرنامج مخفي في أحد البرامج التي لا يتوجس منها شرا

Visual :	التصميم المرئي يستخدم للدلالة على أي شيء مرئي. مثل اللغات المرئية **Visual Language**
Visual Programming:	البرمجة المرئي هي طريقة برمجة تستخدم لغة أو بيئة برمجة يتم خلالها اختيار المكونات البرمجية باستخدام قوائم اختيار وأزرار و أيقونات ...إلخ
Voice Input :	دخل أو تعليمات صوتية يمكن للحاسب ترجمتها إلى تعليمات قابلة للتنفيذ باستخدام تقنية التعرف على الكلام
Volume :	عدد العقود المتداولة خلال فترة زمنية معينة
Voting Stock :	أسهم لها الحق في التصويت
Vpn (Virtual Private Network):	شبكة عبارة عن شبكة بيانات خاصة ، تستخدم البنية التحتية لشبكات الاتصال العامة . مع المحافظة على خصوصيتها

W

Wals :	خدمة معلومات المناطق الواسعة خدمة معلومات موزعة، وأداة بحث تسمح باستخدام اللغات الطبيعية والفهارس في عمليات البحث، يستخدم العديد من أدوات البحث في إنترنت
Wan Wide Area Network	شبكة منطقة واسعة هي شبكة كمبيوتر خارجية تستخدم خطوطا هاتفية مخصصة و/أو الأقمار الصناعية لربط الشبكات المحلية المتباعدة والتي تفصل بينها مسافات كبيرة تصل الى آلاف الأميال.
Web :	الويب أكثر الأسماء استخداما عند الحديث عن الشبكة العنكبوتية ، وهي عبارة عن مجموعة متصلة من مستندات النصوص التشعبية (صفحات الويب) موجودة على أجهزة خادم الويب والمستندات الأخرى ، والقوائم ، وقواعد البيانات ، يمكن الوصول إليها من خلال عناوينها

Web Address:	عنوان ويب وهو عنوان يتكون من بروتوكول، واسم المضيف ، والمسار ، واسم الملف
Web Browser :	مستعرض الويب برنامج عميل خاص بالويب مثل : Explorerويعرض مستعرض الويب مستندات HTMLوالمستندات الأخرى ، ويتيح للمستخدم أن يتتبع ارتباطات النص التشعبي
Web Page :	صفحة ويب أحد مستندات HTML على الويب ، ويحتوي عادة على ارتباطات تشعبية الى مستندات أخرى على الويب .والتجول عبر الويب يقوم على فكرة تتبع الارتباطات من صفحة الى أخرى
Web Server :	خادم ويب أحد البرامج التي تخزن صفحات الويب وتربط بين الملفات ، وقواعد البيانات ، وتقوم بإرسال الصفحات الى أجهزة خادم الويب باستخدام بروتوكولاتHTPP
Web Site :	موقع ويب أحد المواقع على الإنترنت

والذي يستضيف خادم ويب	
طريقة المتوسط المرجح	Weighted Average Method :
الرقم القياسي لأسعار الجملة	Whole Sale Price Index :
منشأة تابعة مملوكة بالكامل	Wholy Owned Subsidiary :
نظام تشغيل للحواسب الشخصية صنعتها شركة ميكروسوفت .Microsoft وأصبحت ويندوز - بالإضافة إلى بعض التطبيقات التجارية من مثل ميكروسوفت وورد وإكسل - أصبحت نظام التشغيل الرئيسي والأساسي لكل المستخدمين، في الشركات أو في البيوت	Windows :
مقياس ويندوز وتشير عبارة **Winsocks** إلى مجموعة من الموصفات القياسية للمبرمجين الذين يطورون تطبيقات ضمن بيئة ويندوز. وهو كمبيوتر داخل إحدى الشبكات، وعادة نوع من الأجهزة يأتي في المرتبة الوسط ين الكمبيوترات الصغيرة والكمبيوترات المتوسطة الحجم	Windows Socets :

رأس المال العامل	Working Capital :
أوراق العمل	Working Papers :
ورقة عمل	Worksheet :
البنك الدولي	World Bank :
مستعرض عالم افتراضي يتكون من مزودات HTTP في إنترنت، تحتوي على صفحات ذات هيئات غنية HTML يمكن جلبها بواسطة متصفحات ويب، مثل مايكروسوفت إنترنت إكسبلورر، ونتسكيب نافيجيتور. ومن الشائع الإشارة إليها بكلمة ويب للاختصار. نشأت هذه الشبكة العام 1992، وازدادت شعبيتها بفضل انتشار متصفحات ويب (Browsers Web) سهلة الاستخدام . أي هي: خدمة إعلامية واسعة النطاق على المستوى العالمي. تضم عدد ضخم من الوثائق مشبعة مدعمة بنظام الوسائط المتعددة مخزنة على مشغلات البروتوكولhttp متصلة بشبكة الإنترنت	World Wide Web/www :

دودة برنامج يقوم بنسخ نفسه بصورة متكررة، لتسهيل طريق مروره عبر الشبكة بالأكمل	Worm :

Y

Yahoo :	دليل مواقع الويب العالمي و يوفر معلومات لمستخدمين الويب، ويقدم أيضاً محرك بحث من أفضل محركات البحث عالمياً
Yard :	مصطلح باللغة العامية يطلق على أسواق السبائك
Yellow Pages :	الصفحات الصفراء هي شبكة إدارة المعلومات الموزعه عبر.UNIX
Zip :	تدل على الملفات المضغوطة باختلاف محتوياتها وهي تساعد على تقليل حجم الملفات وبالتالي سرعة نقلها عب والانترنت

قائمة المراجع

(1) عبد الستار الكبيسي، مبادئ المحاسبة. دار وائل للنشر والتوزيع. عمان - الأردن، 2003.

(2) فهيم دهمش، مبادئ المحاسبة. ط1، دار وائل للنشر والتوزيع. عمان - الأردن، 1999.

(3) غسان فلاح المطارنة، تدقيق الحسابات المعاصرة. ط1، دار المسيرة للنشر والتوزيع. عمان - الأردن، 2006.

(4) عبد الله بن محمد الفيصل، المحاسبة مبادئها وأسسها، ط3. دار الخريجي للنشر والتوزيع. الرياض، 1999.

(5) محمد فالح صالح، إدارة الموارد البشرية، ط 1، دار الحامد للنشر والتوزيع. عمان - الأردن، 2004.

(6) صالح عادل مؤيد، إدارة الموارد، مدخل استراتيجي. ط1، الكتاب الجديد لنشر والتوزيع. عمان - الأردن، 2002.

(7) مازن رشيد، إدارة المارد البشرية، المكتبة العصيرية، المنصورة. مصر، 2001.

(8) مصطفى سليمان الدلاهمة، مبادئ وأساسيات علم المحاسبة. ط1، دار الوراق للنشر والتوزيع. عمان - الأردن، 2007.

(9) رضوان كحالة، حننا حلوة، المحاسبة الإدارية (مدخل محاسبة المسؤولية وتقييم (الأداء). منشورات دار الثقافة للنشر والتوزيع. عمان - الأردن، 1996.

(10) عبد المقصود دبيان، ناصر نور الدين، نظم المعلومات المحاسبية وتكنولوجيا المعلومات. الدار الجامعية ، جامعة الإسكندرية، 2004.

(11) طلال الحجاوي، ريان نعوم، المحاسبة المالية. ط1، دار جهينة للنشر والتوزيع. عمان - الأردن، 2007.

(12) محمد عبد الفتاح الصيرفي، مفاهيم إدارية حديثة. ط1، الدار العلمية الدولية ودار الثقافة للنشر والتوزيع. عمان - الأردن، 2003.

(13) إبراهيم المليحي، الإدارة ومفاهيمها. دار المعرفة للنشر والتوزيع. مصر، 2000.

(14) يوسف مرزوق، مدخل إلى علم الاتصال. دار المعرفة الجامعية، الإسكندرية، 1998.

(15) أحمد ماهر، السلوك التنظيمي، مدخل بناء المهارات. الدار الجامعية. القاهرة، 2003.

(16) سعاد برنوطي، أساسيات إدارة الأعمال. دار وائل للنشر والتوزيع.
عمان - الأردن، 2000.

(17) خالد وهب الراوي، الأسواق المالية والنقدية. جامعة العلوم التطبيقية.
عمان - الأردن، 1999.

(18) عصام العربيد، الاستثمارات في بورصات الأسواق المالية. دار الرضا للنشر والتوزيع. دمشق، 2000.

(19) إبراهيم عبد العزيز شيما، الإدارة العامة. ط2، الدار الجامعية. جامعة بيروت العربية- لبنان، 1993.

(20) عبد الغفار حنفي، رسمية قرياقص، مذكرات في الأسواق المالية. جامعة الإسكندرية، 2001.

(21) إبراهيم الغمدي، الإدارة الحديثة. دار الجامعات . الإسكندرية، 2001.

(22) محمد عبد الفتاح ياغي، اتخاذ القرارات الإدارية، ط1، مكتبة ياسين. عمان - الأردن، 2005.

(23) عبد الله عثما، عبد الرؤوف محمد أدم، العولمة، دراسة تحليلية نقدية، دار الوراق للنشر والتوزيع. عمان - الأردن، 1999.

(24) منعم جلوب زمزير، إدارة الإنتاج والعمليات. دار زهران للنشر والتوزيع. عمان - الأردن، 1995.

(25) محمد نصر الهواري، المراجعة - تأصيل علمي وممارسة علمية. مكتبة دعم الكتاب الجامعي، جامعة عيد شمس. القاهرة، 2000.

(26) أحمد حلمي جمعة، التدقيق الحديث للحسابات. دار صفاء للنشر والتوزيع. عمان - الأردن، 1999.

(27) عماد عبد الوهاب الصباغ، المفاهيم الحديثة في أنظمة المعلومات المحاسبية. منشورات دار الثقافة للنشر والتوزيع. عمان - الأردن، 1997.

(28) ماجد محمد شدود، إدارة الأزمات والإدارة بالأزمة. ط1، دار وائل للنشر والتوزيع. عمان - الأردن، 2002.

(29) محفوظ أحمد جودة، العلاقات العامة. ط 3، دار زهران للنشر والتوزيع. عمان - الأردن، 1999.

(30) عبد المقصود دبيان، سمير كامل، استخدام أوراق العمل الإلكتروني في مجال المحاسبة الإدارية ومحاسبة التكاليف. الدار الجامعية. عمان - الأردن، 2003.

(31) سليمان بشتاوي، إيهاب أو خزانة، مبادئ المحاسبة. ط1، دار المناهج للنشر والتوزيع. عمان - الأردن، 2004.

(32) حسين القاضي، نظرية المحاسبة. منشورات جامعة دمشق - سوريا، 1991.

(33) عماد عبد الوهاب الصباغ، علم المعلومات. مكتبة دار الثقافة للنشر والتوزيع. عمان - الأردن، 2000.

(34) محمد القريوتي، مبادئ الإدارة - النظريات والعمليات في الوظائف. ط1، دار وائل وصفاء للنشر والتوزيع. عمان - الأردن، 2001.

(35) عبد الحكيم أحمد الخزامي، أسس عملية التفاوض: بناء المفاوض الفعال. مكتبة ابن سينا للنشر والتوزيع. القاهرة، 1997.

(36) فراس قياسة، فهم التقارير المالية في المحاسبة والإدارة. ط1، سوريا، 2006.

Printed in the United States
By Bookmasters